JN092290
と
言い張る
女の子を、
百日間で徹底的に落とす百合のお話

あたし
鞠佳一六歳
普通に生きていたらクラスメイトのペットになっていました
ってなんでよ
ビシッ
?
クス
一日一万円で百日間
合計百万円
対価は鞠佳の身体を好きに扱うこと
その条件で同意したよね?
チラッ
したけどね!
身体って…まじか!
クワッ

金に釣られるなんて
自分のバカさ加減に
呆れてきた…
ハーー…
反省するといいよ
あんたが言うな
で
ふ
ゃっ
したいなら
好きなようにすればいいじゃん
ま、どうせ口だけで
いざとなったらそんな度胸ないだろうけど
フン

ギシ
!!?
STOP!
ちょ、ちょちょちょー!?
?
なにしてんの!?
どこ触って…!
遠慮なく?
そうだった
こいつはこういう
空気読まない
やつだった!
ドキッ
ドキン

クラス1の
人気者で

完璧な人生を
歩むはずの
あたしが

期限内で
徹底的に
落として
みせるから

まずは
身体から♥

これは
あたしと絢の
百日間の戦いだ

残り99日——

【さかきばら まりか】
榊原鞠佳
クラスでイケてる女子の
ポジションをキープするJK。
最近お金がないと呟き、
絢にサポを持ちかけられた。

[ふわ あや]
不破 絢
誰もが羨む容姿を持つ
鞠佳のクラスメイト。
鞠佳に百万円で百日間の
サポを持ちかける。

目次

［もくじ］

ARIOTO

onnadoushitoka ARIENAIDESYO to iiharuonnanoko wa hyakunichikan de TETTEITEKINI otosu yuri no ohanashi

女同士とかありえないでしょと言い張る女の子を、百日間で徹底的に落とす百合のお話

みかみてれん

GA文庫

カバー・口絵　本文イラスト
雪子

プロローグ

ARIOTO
annadoushitoka ARIENAIDESYO to iiharuonnanoko wo hyakunichikan de TETTEITEKINI otosu yuri no ohanashi

「女同士とかありえないでしょ」

友達の言葉に、あたしは笑いながら答えた。

ことの発端は、教室に入るなり友達が「ねえねえ知ってる？　なんかこないだ女同士でコクってるところ見たらしいよ」とネタを振ってきたことだ。

そこから話題が広がって、三人で盛り上がってしまった。

「鞠佳はもし女子にコクられたらどーする？」と聞かれ、いやいやありえないっしょ、と思いっきり多少大げさに首を振ったら「だよねー」とそこそこウケが取れた。

あたし、榊原鞠佳は高校二年生。髪もメイクもファッションも気を遣ってるし、空気も読むスキルも高いのでクラスではまあ、イケてる女子のポジションをキープしてる。

手間をかけて梳いた髪を束ねて、ふたつ結びにしているのがあたしのトレードマークだ。簡単な髪型に見えて、実は美容院で教わったアレンジテクが活かされてるゆるふわオシャレヘアー。こういうなにげない積み重ねが、あたしの明るく朗らかで人気者な空気感を演出してくれてるってわけ。

「てかさ、なんで女同士で付き合うの？　それ意味なくない？　妥協しすぎでしょ。どんだけ男にモテないんだって話じゃん」

さらに踏み込むと、友達の悠愛(ゆめ)も知沙希(ちさき)もケラケラと笑う。

「マジウケるねー、まりか」

はーおかし、とグループ爆笑担当の悠愛がひとしきり笑い終わったところで。

あたしはふと気配を感じて、顔をあげた。

じっ……という視線が、こちらに向けられてる。

これでもかというほどに髪を明るくした、うちのクラスで一番派手な外見をもつ女子生徒。

それは、よりにもよって不破絢(ふわあや)だった。

あれだけ脱色していながらまるで不良には見えないのは、彼女がまとう雰囲気によるものだ。

いつもとろんと眠たげな目は同い年とは思えない色気があって、その大人びた風貌(ふうぼう)がギャルっぽさを完全にろ過してる。

不破絢は、整った鼻梁(びりょう)をもち、人生で一度も枝毛ができたことないんじゃないかってぐらいサラサラの髪で、どんなＵＶケアしてるのかわかんないほど肌が白く、頭のてっぺんから爪先(つまさき)まで全部が全部、同年代がどんなにほしがっても手に入れることができないパーツで構成されてる女だ。

背はあたしと同じぐらい、１６０センチ強。立つとスタイルがよくて、キビキビとしてるく

せにスカートも翻さずに歩く上品っぷり。運動系の部活に何度も誘われてるところを見たことがあるから、どうやら帰宅部らしい。

不破はクラスではたいていひとりだ。別に孤立してるわけじゃなくて、用事があったり必要に迫られれば喋ってるけど、ひとりでいることのほうが多い。

ひとりのくせに、なぜだかうちのクラスでは不破をイジったりからかったりするのは、できない空気がある。運動神経がよく、勉強もできて、すごい美人で、あとなんか大金持ちの資産家の娘だとか。

でも実はそんなの不破の表面に過ぎない。

あたしは見抜いてる。どうしてクラスに馴染んでもいない不破が、あたしと肩を並べるほどクラスの地位が高いのか。

それは、彼女がいつも堂々としてるからだ。

ぼっち特有の姿勢の悪さとか、暗い表情とか、キョドる態度だとか、あいつはそういうのとまったく無縁で、いつも『これが私ですけど何か?』みたいな顔で胸を張って、悠々と学校生活を横断してる。

不破のその感じは、あたしがよく行くショップで、たまに顔を見せるデザイナーの人に似てる。店員さんみたいに愛想を振りまいたりしないで、いつも難しいなにかを考え込んでる。それは空気を読むってより、むしろ空気を従えてる感じで。

だから、あたしは不破が苦手だ。

あたしが黙ってると、悠愛と知沙希がヒソヒソと。

「……ね、なんかめっちゃこっち見てない？」

「てか……睨んでるよね……」

ただ喋ってただけで別に後ろめたいことなんてないのに、つい声をひそめてしまう辺り、不破を苦手なのはあたしたちグループ共通の認識らしい。

だからって不破がなんだ。あたしだって榊原鞠佳だぞ。よくわかんないけど。

「そんなことよりさー！」

あたしは思いっきり明るいトーンで話題を変える。

「えーなになにー？」

「なんか面白い話？」

妙なプレッシャーから逃避するみたいに、あたしを見るふたり。

バカみたいに笑いながらバカみたいに口を開く。

「最近、すっごいお金なくてさー！　めっちゃほしいバッグあるのに、めっちゃ困っててさー！」

「あー、まりか、バイトやめたもんねー」

「てか使えないからクビになったんでしょ？」

和やかなほうが悠愛で、辛辣なほうが知沙希。

「違うし！　オッサン店長がセクハラしつこいから、こっちから辞めてやったんだって！あーもう、思い出したらまた腹立ってきた！　訴えておけばよかった！」

あたしは体全体で怒りを表現し、それから大げさにため息をついた。感情を表すときはできるだけオーバーリアクションに。みんなわかりやすいキャラが好きだからね。それが空気読むってこと。

ふたりは不破から関心を離し、あたしとの会話に戻ってきていた。よし、不破との勝負はまたしてもあたしの勝利だ。たかが視線ひとつに張り合うあたしもあたしだけど。

とりあえずの作戦は成功。こっからはマジなやつ。お金がなくて困ってるのはホントだしねー……。

「なんか割のいいバイトとかないかなー」

「あ、じゃあセンパイが教えてくれたんだけど、サポ受けるとかは？」

「サポかー……」

悠愛がヘンなことを言い出した。いい子だけど、天然入ってるんだよなこの子。

あたしは机に上半身うつ伏せで平べったくなりながら、うめく。

「またオッサンに媚び売るやつかー……」

「でも楽だし稼げるんでしょ。一緒にご飯食べるだけで一万円とからしいよ」

「うっそ、一日一万円？」

上半身を起こす。知沙希はシニカルに笑った。

「マリ、マジ現金」

「うっさい。だって同じセクハラされるなら、一万円もらえたほうがお得でしょ」

「どっちみちされるんかい」

ビシ、と悠愛が突っ込んでくる。

「あはは」

笑って、なんとなくまた楽しい雰囲気になったかなーってところで、そろそろ授業開始のチャイムが鳴る頃。

あたしは周りのみんなが楽しんでるのが好きだから、いつもニコニコ笑ってる。だってそのほうがいいに決まってる。不破なんかより正しいのはあたしなのだ。間違いなく。

「ね」

「うん？」

声をかけられて振り向く。あたしは人気者だから、みんなあたしに気軽に声をかけてくれるし、それはそれで嬉しい、んだけど――。

――うわっ。

思わず声が出そうになった。

そこにいたのは、不破絢だった。な、なぜに……。

「ちょっといい？」

「な、なん……なに？」

あまりにも焦りすぎて、敬語使うとこだった。なにテンパってんだあたし。別にただクラスメイトに話しかけられただけでしょ。

ニコニコと笑顔を取り繕って、ぜんぜん気にしてないって顔でやり直す。

「なに、どしたの？　珍しいじゃん、不破が話しかけてくるの」

不破はあたしをじっと見下ろしてくる。その冷たい視線はまるでこちらを値踏みしているようだ。

な、なんだっての。なんか話しなさいよ……。

心は折れそうだったけど、とりあえず友達が見てる前だから「ん？　ん？」と不破を急かす。どう？　不破と対等に話してるけど？　別に普通だし？　というポーズだ。

いやいやビビってないし。まったく。はい。

ただ、不破は微動だにしていない。なんなの、息してないの？　それとも、あたしが先に目を逸らすまではって、意地張ってるの？　言っとくけど負けないかんね？

見つめ合うこと数秒。周囲の注目を集めてる上に、完全におかしな空気が流れちゃってるけど、そこはぐっと堪えて。

不破に関してだけは譲れないんだ。これはもうあたしのクラスの中での地位をかけた戦いになっちゃってるから。

けれど不破は、一切目を逸らさずに。

あたしに向かって言った。

「放課後、あいてる？」

「バイトないし、暇は暇だけど」

いきなりなんで放課後の予定聞いてくんの⁉　内心の驚きはともかく、構えてたからとっさに言葉を返すことはできた。

すると不破はニコリともせず、告げてくる。

まるで決まりきった運命を読み上げるように、あたしに選択権なんてないみたいな声で。

「じゃあ、つきあって。話あるから」

「ふーん、ま、いいけど？」

怪訝そうな声を作りながら上から目線でオッケーしつつも、あたしは背中にめっちゃ汗かいてた。

……マジで？

なんなの、不破……。

なに考えてるかまったくわかんないし、怖いんだけど……。

学校帰りに指定された場所は、駅前のカフェだった。さすがに周囲に人もいるので、いきなりブン殴られたりすることはないだろう。なんの心配してるんだあたし。

悠愛も知沙希も一応心配して「一緒にいこっか?」なんて言ってくれたんだけど、ふたりはきょうバイトあるし、わざわざ休ませたらあたしがビビってるみたいだから、「へーき! へーき!」と断ってしまった。

もちろんビビってるんだけど、今さらそんな弱音はくのはあまりにもダサすぎる……。

あたしがミルクたっぷり入れたカフェラテを持って席に向かうと、不破は先に待ってた。二階窓近くのカウンター席。不破も窓ガラスに反射する不破もどっちも美人で、不破の来店によって店内の華やかさが十割増し。カフェも毎日不破にご来店してほしいことだろう。

不破の前には無糖のブラックコーヒーが置いてある。あまりにもイメージ通りすぎるでしょ。なんかキャラ作ってるみたいでつい笑ってしまった。横に座る。

「……なに?」

「あ、いや、別に。てか、不破ってこういう店よく来るの?」

「まあまあ」

「そっかー、まあまあかー」

そっかー、そっかー……と自分の言葉がこだまのように反響する。

話が終わった……。不破は黙ってブラックコーヒーを飲んでるし……。

いや、あたしもね？　相手が友達だったら話題を繫ぐぐらいのことはできるよ？　でも不破相手にそれするのって、あたしがめっちゃ下からいってるみたいじゃん？　なんかご機嫌取ってるみたいじゃん？　それってシャクじゃん？　的な。

といっても、いい加減ここで店頭に並べられたマネキンみたいにいつまでも黙ってるってわけにはいかない。あたしは自分から話を切り出した。

「それで？　話って？」

「……」

え、シカト？　ウソでしょ？

「わざわざ不破があたしを誘うとか、犯罪企んでるわけじゃないよね？　そもそも不破と話したこともぜんぜんないし。しかも学校じゃできない話とか、怪しくない？　のこのこついてくるあたしもあたしだけど」

不破はゴソゴソとスクールバッグを漁り、膨らんだ封筒を取り出した。そのままあたしに向かって差し出してくる。

え、怪しい……。

「これ」

なにこれ……と口を開きかけたところで、中身を見たあたしは目を剝いた。

封筒の中には、一万円札がぎっしりと詰まっていた。

「はあ⁉　え、なにこれ、パーティーグッズかなにか⁉　カラーコピー⁉」

「ほんもの」

「一番聞きたくなかった答えー！」

あたしは頭を抱え、封筒を突き返す。

「なんなの⁉　貧乏なあたしに向かって、自分の家は金持ちだって自慢したかったの？　それ相当性格悪いって思うんだけど！」

「そんなことするわけないって……」

不破の呆れた視線があたしを刺す。いやそっちが引くのはひどくない？　札束出しておきながら。

テーブルに札束置いて話す女子高生ふたりとか、ぜったいやばいでしょ。なんの取引現場なのよ。さっさとカバンにしまってよ。

「百万円あるから」

「マジで……。生の百万円とか、初めて見た」

「話してたよね、榊原さん」

「……なにが？　え、最近すっごくお金ないって？　は？　この百万円あたしにくれるってこと⁉」

「あげるわけないから」

知ってた。

不破は明るい髪を耳にかけながら、ストローに桜色のリップを近づける。ただブラックコーヒーを飲んでるだけなのに絵になる女。

でも、会話にはテンポというものがある。今は不破のターンだ。なのに悠々とコーヒーを飲んじゃってもう。自分がなにかしているときに人を待たせて当然と思ってるんじゃないぞ。そういうところだぞ不破絢。

ちゅぱとストローから唇を離し、不破はようやく口を開く。

「一日一万でサポを受けるとか話してたの、耳に入ったから」

「盗み聞きとか、趣味悪くない?」

不破はあたしの言葉には応(こた)えず、あたしの口調を真似(まね)して言った。

「『おんなどーしとかありえないっしょ』」

「……言ったけど、それがなに? あとめちゃくちゃ似てない」

「私ね、試してもないのに『ありえない』とかいう人、きらいなんだ」

「はあ?」

なにそれ、あたし今ケンカ売られてる?

「てか言ったのあたしだけじゃないでしょ。悠愛も知沙希も言ってたじゃん」

「お金に困っているんだよね、榊原さん。だから」

札束をあたしの目の前に掲げた不破は、口元に押し売り訪問販売のような威圧感を帯びた笑みを浮かべる。

な、なによ……。


「一日一万円で、私のサポ受けてよ。女同士がありえないかどうか、試してあげるから」


とんでもないことを言い出しやがった、こいつ。

さすがのあたしもこれにはドン引きである。

「なに言ってんのあんた、頭大丈夫?」

オブラートに包まない表現でズバッと切り込んでしまった。

「だいたい、女が女に体売るとか、そんなの普通じゃないでしょ」

「中年男性に体売るのも、とうてい普通じゃないとおもうよ」

「売らないし。売るのは媚びだけ。適当にニコニコしておだてて一緒にご飯食べるだけでしょ。それぐらい楽勝だもん」

きりりと不破の目が尖(とが)った。それだけで彼女の威圧感が膨れ上がる。あたしの苦手な怖い目だった。

「ほんとうにそれだけで済むの？　相手のひとが警察で、学校に通報されたらどうするつもり？　そうじゃなくても、怖いひとに捕まるとか。犯罪に巻き込まれるとかあるかもしれないよ。自衛の手段は考えているの？　だいたい、紹介してくれるひとだって信用できるの？」

たくさんの人をフォローしてるタイムラインみたいに次々と言葉を投げつけられて、あたしは、うっと息を呑む。そのどれもが正論に聞こえてしまう。

不破がまたあの呆れるような目をした。

「どうせなにも考えていなかったんだよね。いくらなの？　ほしいバッグって」

なんでそんなことまで覚えてるんだか。

「三万円だけど」

札束から紙幣を三枚抜き取った不破は、目の前でそれをひらひらと泳がせた。

「これだけで買えて、こんなに残るね。私のサポを受けたら、だけど」

なにこの女悪魔の誘惑……。不破に牙と尻尾が見える。似合いすぎだ。

「……いや、でも」

猫じゃらしを振られた猫みたいに、あたしの目は三万円を追いかけてしまう。

「不破に体売るとか、ありえないし……」

「少なくとも、私は危ないことはしないよ」

……まあ、それはそうかもしれないけど。

「みんなに見られたら、最悪だし」

「私につきあうのは放課後だけでいいよ。原則は私の家で。それなら誰(だれ)にも見られる心配はないから。私だってお金で榊原さんを買ったとか、誰にも知られたくないし」

不破はあたしの言い訳をひとつひとつ、巧妙に剝(は)ぎ取ってゆく。だったらいいかな、と頭の中の百万円ほしがり鞠佳が屈服しそうになる。

ダメだ。相手はあの不破絢なんだ。こんなの罠(わな)に決まってる。

……だけど、相手が不破絢だからこそ、冗談で言っているわけじゃないんだっていうのが伝わってくる。

「わかった、だったら勝負しよう」

惑うあたしに対し、不破は三万円を封筒に戻して、札束を自分のバッグにしまった。

「私はこれから百日間をかけて、榊原さんが『女同士とかありえないでしょ』って考えを変える。考えが変えられたら私の勝ちで、百万円は私のもの。もしその考えが変わらなかったら、百万円は榊原さんのもの。どう？」

……はあ？

それって、つまり……？

「……別に条件変わってなくない？　だって、なにされてもあたしの考えなんて変わるわけないじゃん。女同士とかありえないって」

「そう思っているなら、それでいいよ」

不破は一息つくようにブラックコーヒーに口をつける。あたしは甘いカフェラテを含んで脳に糖分を送る。

落ち着いて考えてみよう。

大金持ちの不破にとって百万円を出すなんてきっと、自販機でジュースを買うぐらいのつもりでしかないのだろう。だから、こんなに落ち着いてるのだ。

「……」

あたしはじっと不破を見つめる。相変わらず容姿は整ってて、なにを考えてるかわかんないけど、すごい美人。

さっきから通りがかる人の視線を感じるけど、あたし3に不破7ってぐらいの割合だ。どうせあたしは親しみやすいビジュアルですよ。

美人すぎてむしろ親しみづらい不破は、まるで挑発するように小首を傾(かし)げた。その色っぽい目があたしに問う。ビビってるの？　と。

あたしは目に力を入れて、不破をグッと見返した。

いいじゃん。勝負に勝って、百万円を不破から巻き上げる。それってつまり、百パーセントあたしの勝ちってことでしょ？　は、完全勝利じゃん。いいじゃんいいじゃん。やってやろうじゃん！

わかった、とうなずく。不破を睨みつける。

「いいわよ、勝負受ける。受けるよ」

「へえ、やるね」

不破は面白そうに眉（まゆ）を吊（つ）りあげた。その顔は、学校でいつも退屈そうにしてる不破にしては珍しく、魅力たっぷりで愛嬌（あいきょう）のある表情だった。

普段からそういう顔をしてれば、もっと友達が増えるだろうに。

いやいや、あたし個人の好みとかそういうんじゃなくて、客観的な意見として、ね。

「そのかわりさ、不破。いっこ質問に答えてくれる？」

「いいよ、なに」

「あんたってさ、レズなの？」

不破は空（から）になったブラックコーヒーをテーブルに戻す。

髪を耳にかけ、人を沼に引きずり込む魔女みたいな流し目であたしを見た。

「鞠佳もすぐにそうなるよ。ぜったい落としてみせるから」

「やめてよね!?」

店内だってのに、あたしは思わず叫ぶ。

今、すっごい鳥肌が立った！

かくして、女子高生がもつ当然の物欲に加え、不破への対抗心をくすぐられたあたしは、まんまとその口車に乗せられてしまった。

でも別に、あたしが『女同士なんてありえない』っていう考えを翻すことは、それこそ『ありえない』わけで。

不破もご愁傷さま。色気のある美人だから、今までコロッと騙されてあんたに惚れちゃうような女の子はいたのかもしれないけどね。

今回ばかりは相手が悪かったわね。

この榊原鞠佳は顔がいいだけの同性相手に、ぜったいなびいたりしないんだから。

翌日、学校で悠愛と知沙希に「どうだった?」「シメられた?」なんて聞かれても、なんでもなかったよ、と笑いながら応えるぐらいは余裕だった。

窓際の席に座って外を眺める不破の横顔を見ても、いつもどおり苦手で、なに考えてるかわからない不破がそこにいるだけだ。

これからの戦いに向けて、あたしの気持ちはなーんにも変わってない。ただ百万円もらったらなにを買おっかなっていう期待感が膨らむ一方だ。

つまり、この有利すぎる百日間の勝負は、約束された勝利とともに幕を開いたのだった。

第一章

ARIOTO

onnadoushitoka ARIENAIDESYO to iiinonnnanoiro wo hyakunichikan de TETTEITEKINI otosu yuri no ohanashi

不破絢と契約を交わした翌日の放課後。あたしは不破の家に連れ込まれていた。

京王線沿線の一軒家。確かにいいお家だけど、大富豪の邸宅かと言われれば違う気がする。

ま、見えないところにお金を使ってるってことなんだろう。

「おジャマしまーす……」

絢の後に続いて階段を上り、二階へ向かう。

おそるおそる足を踏み入れる。わー、不破の部屋だー。

「えーと……。親御さんとか、平気？」

「だいじょうぶ。いつも夜遅くまで帰ってこないから」

それあたしにとっては大丈夫じゃないんだけど。

端っこにベッド。ふかふかのカーペットと、かわいい洋服タンスと、壁にかかった制服やバッグ。薄型テレビがあり、学習机にパソコンが置いてあった。

あたしの部屋よりは豪華だけど、でもこれも大金持ちってほどじゃない感じ。それともこのパソコン、何百万もするやつなのかな……。

「てきとうにベッドの上にでも座ってて」

「なんであえてベッドの上を指定するのか」

「深い意味はないけど」

　不破はいったん部屋を出てから、冷えた麦茶をふたつ、お盆に乗せて運んできた。不破にお客さん扱いされてるのと、不破がそんな気を遣えることにダブルでびっくりする。あたしはもちろんカーペットの上に座ってた。

　ちなみにあたしも不破も学校帰りなので制服姿だ。制服姿の女子がふたり、女子の部屋でおしゃべり。うん、なにもおかしくはない。

「じゃあきょうから鞠佳(まりか)は私のものになるわけなんだけど」

「おかしいんだよなあ！」

「なにが？」

「いえいえ、なにも……」

　あたしはライナスの毛布みたいに、三万円で買ってきたティラミス色の２ＷＡＹバッグを抱きしめる。この感触があればもうちょっとがんばれる……。

「よくわからないけど、前金としてバッグを買ってあげたんだから、ちゃんと百日間つきあってね」

「わかってるわよ……。逃げないってば……」

心の鞠佳は虎の姿をしている。その虎がガルルルと牙を剝く。ファイティングスピリッツがあれば不破には立ち向かうことができるのだ。

「それはいい心がけだね。じゃあ早速なんだけど」

早速、不破があたしの真横にぴったりと座った。ふともももとふとももがくっつく。ひんやりモチモチとした感触。

ひい。心の中の虎は怯え、一瞬で猫へと姿を変えた。身を引く。

「あの、ごめん、あたし処女なんで、お手柔らかに……」

眉をひそめて、じっと顔を見つめられた。

「鞠佳って私のことなんだと思ってるの。異性愛者だろうが、同性愛者だろうが、同じ人間だよ。無理矢理なんてしないって。さすがにそれは失礼」

「言ってることはもっともなんだけど、でもあたしを百万で買った人のセリフじゃないよね」

「これから百日間かけて鞠佳を徹底的に落とすにしても、急にハードなことはしないよ。私は過程も楽しむタイプだから」

不破からめいっぱい距離を取る。部屋の端っこまで後退した。

「理由が不穏すぎる……。てかあんた学校で猫かぶりすぎじゃない……？　いつも『私はお嬢様ですよ～。俗世とは関わりませんよ～』って感じの澄まし顔してるくせに」

「そんなつもりないよ。なんでクラスで素を出さなきゃいけないの？　学校って勉強するところだよ」

「それ本気で言ってんの？　いや、本気で言ってるんだろうけど……ヘンなやつ……」

立ち上がった不破の背中に、べーっと舌を出す。やっぱりこいつ、あたしとなにもかも正反対。ぜったいに合うわけない。なにをされても落ちるとかありえないし。あたしの中の虎がそう言い張ってる。

不破は本棚からごっそりと本を持ってきた。テーブルに積み重ねられたそれは……えっと、マンガ本？　ハイハイして近づく。

「とりあえず、これを読んでもらうから」

「……マンガを？　え、それがきょうの課題？」

「きょうからしばらくの、だね。ちゃんとしっかりぜんぶ読んでね。流し読みは禁止」

なに言ってんだろこの人。

え、一日一万円もらってマンガ読んでていいの？　ホントに？　こんなの天国じゃん。あたし、不破のことを誤解してた？

「じゃ、遠慮なく」

一番上の本を摑んで開く。これがすっごいグロテスクなホラーとかだったら天国が一転して地獄になっちゃうけど、そんなこともなかった。

透明感のある絵がキレイな、学園ラブストーリーだ。

「読んでていいの？」

「どうぞ」

他人の部屋に来てまでマンガ読むってヘンな感じ。まあでもいいや。不破は友達でもなんでもないし。読み進める。へえ、けっこう面白い。

まんまと引き込まれてしまった。自分は恋ができないと悩む女の子が、黒髪の生徒会長の先輩に告白されて、ふたりは周囲にナイショで付き合い始めるという――。

「ってこれ、レズの話じゃん！」

「百合だよ」

「一緒でしょ！」

「いろんな解釈があるから、一概には言えないかな」

「どうでもいいっての！」

あたしはマンガを次から次へと開く。あれもこれもそれもこれも、全部女の子同士の恋愛を描いた本だった。不破ー！

「この中に混ざってたら、女子高生が共同生活する四コママンガだって、レズマンガに見えてくるわ！」

「安心して。『ふたりべや』はれっきとした百合マンガだよ」

「だからなんなの！」

勢いのまま床にマンガを叩(たた)きつけようとすると、その手を不破が摑んできた。すごい反射神経だ。素人(しろうと)の動きじゃない。ビビる。

「鞠佳。そういう『契約』だよ。なにされても考えが変わらないって言い張っているんだから、基本的に鞠佳は私の指示を断れない。だよね」

「う……。そ、それは、わかってるわよ」

こいつに『鞠佳』って呼ばれるたびに、叱(しか)られてるような気分になってしまう。

座り直す。難しい参考書を開くみたいに、おずおずと本を読み始めた。

けれど、まあ、レズってことに目をつぶればそれは普通のマンガ本なわけで。

「どう?」

「趣味ではないけど、読める、みたいな……」

っていうか、普通に面白い、みたいな。口には出さないけど。

それはそうとして、マンガを読み進めていく。女の子同士の恋愛といっても、そのことを普通じゃないと悩んだりする気持ちには共感させられたりする。

なにげない日常を描いたマンガは、普通にまったりした気分になれて、それ自体も面白い。てか、悠愛(ゆめ)や知沙希(ちさき)とは基本こんな毎日を送ってるし。

あたしはオタクじゃないけど、マンガは好きだ。スマホのアプリとかでも普通に読むし。ただ、出てくるキャラ出てくるキャラ、全員レズなのが気になるっちゃ気になる。

いやむしろ。

「なんであたしのすぐ後ろに座るの、不破」

テーブルの前にあたし。そのすぐ後ろ、ベッドに座る不破。つむじあたりを見下ろされている感が半端(はんぱ)ない。なんかこう、不破の視線って突き刺さるっていうか、感じ取れちゃうんだよね……。

「マンガ読むだけで一万円もらえるわけないから。調教は同時に進めていくよ」

「そらそうですよね……。てか調教て。言い方」

言うや否(いな)や、不破はあたしの頭を撫(な)でてきた。なぜ！

「ちょっとやめてよ⁉」

「鞠佳の髪は柔らかいね。癖(くせ)がつかない代わりに、セットとか大変そう」

「言う通りだけどどうして髪触った⁉」

「別にこれぐらいはいやじゃないよね。軽く撫でているだけだよ。友達同士でもよくやってるよね」

「不破に触られるとゾクゾクっとするのよ！」

「ふむ」

相変わらず人の話を聞かない不破は、あたしの髪を無遠慮にさすさすしつつ。

「私はね、どんな女の子だって最終的には落とす自信があるんだけど」

「すごいこと言い出した」

不破の妄想だったらよかったんだけど、この顔で確固たる自信をもって言われると、確かにできそう……と思えて仕方ない。今読んでるマンガに出てる『バリタチ』ってやつだ。余計な単語を覚えてしまった。

「今回は百日間という縛りがあるうえに、平日は学校が終わって夕食までの二時間ぐらいしか一緒にいられないよね。だから、より効率的に鞠佳を落とさないといけないから、いろいろと作戦を練ったんだ。そのうちのひとつが、これ」

「いきなりおしゃべりになったわね……。これ、って髪を触ることですか」

「うん。まずは身体的な接触に慣れてもらうよ。鞠佳ってひとりっ子だよね」

「そんなことまで調べがついてんの？　こわいんだけど……」

「ただの推理だよ。パーソナルスペースが広いから。だからマンガを読んでいる最中は、ずっと私が鞠佳のパーソナルスペースを侵食するから。人肌に慣れてね」

不破の推理はだいたい事実だったけど、後半に賛同したわけじゃない。なのに、不破は後ろから抱きついてきた。近い近い。背中に胸が当たってる。

「落ち着かないんだけど……」

あたしは人肌が苦手なのも不破が苦手なのもそうだけど、それ以上に人のニオイに敏感だ。あんまりキツい香水には、うっとなったりする。ちなみに不破は……不本意にも、清潔ないい匂いを漂わせてる。逆に落ち着かなくなる。

「すぐに慣れるよ」

「経験談みたいに言われるの、なんかすっごく釈然としない」

「マンガ読んでなさい、鞠佳。……ほら、いい子にして」

「耳元でささやくのもやめて！」

あたしは身震いしながら、再び部屋の隅まで逃げ出す。不破は、拾ってきた猫を見るように『やれやれ』という顔をしてたのだった。

決着の日まで残り99日。遠い。


マンガを読むだけの日々は、一週間ほど続いた。

読んでも読んでも不破が新しい本を積み上げてくるし、おかげで土日まで家に引きこもる羽目になってしまった。全部で二百冊ぐらい読んだ気がする。人生で一番マンガを読んだ時期だわ……。

「ちゃんと全部読んだんだね。お利口さん」

恒例となった不破の部屋。

目を細めた不破が、あたしの頭を撫でる。

悔しいけど、ここ数日間の執拗なボディタッチによって、それぐらいじゃなんとも思わなくなってしまった。

だってことあるごとに手を握ったり、肩を叩いたりしてくるんだもの。いちいち『うっさいわ』って言うのも面倒だし……。

ただ、なんとも思わないだけで、気持ちいいとか嬉しいとかそういうポジティブな気持ちは微塵もないのだと、ちゃんと言い張っておきたい。

「どれがいちばん面白かった？」

「んー……これかな。でもこれもよかったよ」

不破はぼんやりとした表情の中に、嬉しさを混ぜる。

「わかる。どれも名作だよ。すごく推せる。鞠佳、見る目あるね」

「そ、そう？　まあ、けっこうマンガは読んできてるし」

褒められるのは、悪い気しないけどね。

「で、どうかな」

明るい髪の不破が、あたしのすぐ横に座る。

むき出しの膝に手を置いて、顔を覗き込んでくる。腰をくいと曲げたそのスタイルは、あたしでも見惚れるぐらいに優美だ。

「女同士の恋愛に、少しは憧れを覚えてきた？」

「冗談」

それね、言われると思ってたんだ。

あたしは膝の上に置かれた不破のひんやりとした白い手をどかし、テーブルの本の表紙を指でトントンと叩く。

「確かに面白かったけど、これは所詮、マンガでしょ？　マンガの世界に憧れるとか、そんなの小学生男子じゃないんだから。人殺しするマンガ読んで『人殺ししたくなった？』って聞かれるぐらい、ばかげた質問ってわけ」

完全にドヤ顔であたしは肩をすくめた。

「マンガはマンガ。現実は現実。つまり『ありえない』ってこと」

どう、この完璧な理論。あたしのこと見くびってたでしょ。こちとら意外と勉強できるじゃんって評判なんだから。

だけど。

「うん、なるほど」

当然とばかりに不破はうなずいて、立ち上がった。その顔はなにひとつダメージを負ってない。なんでよ。

「……えと、あたしの話、聞いてた？」

「もちろん。そのうえで確かにって思ったよ。そもそも、私だってマンガ読ませただけで『うん、女の子同士っていいよね！』とか言われるわけないと思ってたから。鞠佳は自信ありそうだったし、それに」

唐突に、不破の長い指が、あたしの顎を下から上につつつと撫でる。

まるで氷の銃口を突きつけられたような気分。

「少しずつ落としていくほうが、私は好き」

「……さいですか」

蛇に睨まれたカエルじゃないんだからね。冷や汗がこぼれるわ。

「じゃあもう一週間も経ったことだし、下地はできあがったというわけで、榊原鞠佳を徹底的に落とす計画の第二段階に移行するね」

「知らないけど、勝手にしなさいよ……」

机に頬杖をついて、投げやりにつぶやく。いったい何段階まであるんだ。

不破はDVDプレーヤーにDVDをはめこんだ。次は映像か。ラベルは見えなかった。

「ところで、レズと百合の違いについてはわかった？」

「はっきりとはわかんないけど……まあ、なんとなく。百合がキレイで、レズがナマナマしい、的な？」

こちらを見た不破は、小さくため息をついて、静かに首を振った。腹立つ反応だ。

「ま、いいや。次の鞠佳に期待するね」

「なにをさせられるんだか……」

　ＤＶＤのリモコンを持ってきた不破は、あたしを一度立たせてから、あたしが今まで座ってた場所に座った。

　両手を広げて、早く、とこちらを目で催促する。幼児みたいに自分の前に座れ、ということらしい。なんでだ。

「あんたってレズとか百合とかじゃなくて、ただド直球にヘンタイなだけ……ってわけじゃないよね」

「別にどう思ってもらっても構わないけど、クラスメイトの一日を一万円で、百日間買い取る女ってどう思う？」

「筋金入りだな、って思う」

　ははは、と不破は声をあげて笑った。

　それが珍しくて、あたしはまん丸い目で不破を見つめてしまう。

　不破はきょとんとしてた。

「なに？」

「いや、別に……」

　不破のふつうの笑顔、初めて見た。

　意外とかわいいな……なんて思っていませんし。ありえませんし。

「ヘンタイの命令で足の間に座らされるあたしってかわいそうだなって思っただけ。てか、相手が変わっただけで、おじさんだろうが不破だろうがあたしのダメージは同じな気がしてきた」

「私はすくなくとも鞠佳を犯罪には巻き込まないけどね」

こいつ、犯罪には巻き込まないけど、それ以外のことはおっさんと別に変わらないよ的なことを認めやがった。

いいんだけどさ、百万円のためだし……。

「それじゃ再生するね」

「はいはい」

あたしは半ば嫌がらせする気分で不破に背中を押しつけた。そのデカイ胸が潰れてしまえばいいぐらいの気持ちだったんだけど……不破は両手をあたしの腰の下に回してきて、ぎゅっと体全体を包み込んできた。

ただそれだけで急に、気持ちよさがあふれてきた。

思わず腰を浮かせて、不破を振り向く。

「今度はなに？」

「い、いや……」

あたしと身長も変わらず、すっごく細いくせに、後ろから抱きしめられるとなんでこんなに気持ちいいのか。

そういえばお母さんにギュッとされたときも、こんな気分だったような。お父さんではこうもいかなかった気がする。男と女では、フカフカ感が違うんだろうか。

ううむ、なんとなくよくないんじゃないかと思いながらも、再び不破に包まれる。

こいつ、今まで何人もこうやって落としてきたんだろうな……。

いいけど、あたしだけはぜったい落ちないし。

不破はリモコンを操作して、あたしにそうするみたいに薄型テレビに命令した。

「始めるからね」

「はいはい……」

教育テレビでも見せられるのかな。同性愛者と異性愛者について、みたいなドキュメンタリー映像とか。子ども騙し的な。

始まった。それは、画面の中央にソファーがあって、そこにボブカットのかわいい系の女の子がちょこんと座ってる映像だった。なにこれ。

『緊張してる?』

姿の見えないインタビューアーの女性の声。女の子は恥ずかしそうにしてる。

『はい、あの、ちょっと。こういうのって、初めてなので……』

『大丈夫よ、きょうは女同士だからね。リラックスして』

『でも、女優の人も、すごくキレイだから……。やっぱり、緊張しちゃいます』

『ふふふ、可憐ちゃんに初めて会うから、おしゃれしてきたんだから』

『……あ、わたしもです♡』

なんだろこれ。ドラマではないみたいだし。映ってる女優も知らない人だ。しいて言えば、インタビュー映像？　かな？

「これ、知り合いか誰か？」

「すぐにわかるよ」

退屈なやり取りを我慢して見続けること五分。

なるほど、確かにすぐにわかった。

かわいい系の大学生っぽい子と、きっちりとしたスーツを着た美人系の女性が並んでソファーに座ったところまではよかった。しかしそこから、お互いの体を触り始め、あまつさえ熱烈にキスを交わし始めたのだ。

眺めてると、行為はドンドンとエスカレートしてゆく。部屋の中には痛いぐらいの沈黙。あたしの背中から汗がだらだらと流れ落ちる。まさかと思う。

手を伸ばしてテーブルの上に置かれたパッケージを取る。

『素人大学生、レズ初体験ドキュメント。監督女優の絶技に鬼連続絶頂24連発！』

あたしは床にパッケージを叩きつけた。

「ってこれ、ＡＶじゃないの！」

そうだけどなに？　みたいな顔をしてる不破を睨む。

「なんで女子高生ふたりくっつきながらＡＶ見ないといけないわけ⁉　しかも女同士の！　ありえないでしょ！」

「これから毎日放課後に一本ずつ見てもらうから」

「シカトか！」

「『契約』」

「わかってるわよ！」

なんでこいつはこんな状況で平然としてるの⁉　信じらんない！

あたしは歯を食いしばり、元の位置に戻った。不破に抱かれ直され、一対一で苦手な先生の授業を受けるみたいな気分で、テレビ画面を凝視する。

大丈夫大丈夫、どうせただの映像。光と音の競演よ。

画面の中の女優さんたちは、キスをしながら胸を揉んだり、服を脱がされたりしてる。基本的には大学生の子がずっと責められて、美人さんは終始余裕げだ。

なんだかこれ、あたしと不破みたいだ……とか、そんなことぜったいに思っちゃいけないんだろうな。

むにゅ。

ＡＶすら見たことないのにレズモノなんて見ているから、変な気分になってきたのか、まるで胸を触られたような感触を覚えた。

「違うわ！　不破に後ろからめっちゃ揉まれてるわ！」

「鞠佳ってもうすこし静かに見ていられないの？」

「あんたがなにもしなければ、そりゃもう静かにしてるわよ！」

そんなやりとりをしている間にも、不破はブラの上からあたしの胸を揉みしだいてる。両手を胸に当てて円を描くように揉んだり。あるいはたぷたぷと持ち上げるように揉んだり……。

「いやあの……いくらボディタッチに慣れてきたとはいえ、胸を思いっきりいじられるのは、さすがにちょっと違うんじゃないかと……」

ため息をつかれた。

「ねえ鞠佳、服のうえからだと感触がイマイチだよ」

「人の胸を許可なく揉んでおいてあまつさえ文句言う⁉」

「放課後の鞠佳の時間は、私のものだよ」

だからわざわざ許可を取る必要もないと言いたいらしい。

いやしかしそれは、さすがに身の危険を感じるというか。

「前に言ってたわよね。無理矢理はしないよ、みたいなこと」

「そうだね。『あたしは体売るとか言っておきながら、胸すら揉ませるのが怖くて仕方ない仔猫なんです。やめてくださいにゃあ』って鞠佳が土下座してお願いしてきたら、もちろんやめてあげるよ」

「………」

カチンと来る言い方するじゃないの……。

どうせあたしの後ろで意地悪そうににやにやしているんだろう。胸を持ち上げられたまま、あたしはぷいと顔を背ける。

「……別に、急にだったからびっくりしただけ。好きにすればいいじゃん、減るもんじゃないし」

「では遠慮なく」

ぷちっと背中ホックが外される。おいおい直接かいな。

それは聞いてないんですけど、と叫びたい気持ちを必死に押し止める。

触っていいと許可を出したのはあたしだし、またからかわれたくないし。ビビってるのだと見くびられたくない。

あたしのワイシャツのボタンが一個一個外されてゆく。キャミソールの下は、もはやノーブラである。後ろから不破の手がするりと入り込んできた。体温低めの指が素肌に触れる。

めちゃくちゃくすぐったい。

下唇を噛んで耐える。

指はお腹からへそ、脇腹から少しずつ登っていき、おっぱいまでたどり着いた。指の腹がぴたぴたと嬉しそうにおっぱいを揺らす。持ち上げるように支え、また下ろす。指先がつんつんと膨らみをつついてくる。

女の子同士、遊びで胸を触るみたいな話はよくあるけど、さすがにこれは度を越えてる。あたしは思わずおしりが動いちゃうようなくすぐったさを我慢しながら、低い声でうめく。

「……あんた、遊んでない？」

「けっこう真剣」

「……」

ならいいけど、とつぶやこうとして、ならいいのか？　と浮かんだ疑問に自分で答えることができなかった。なんでもいいから、早く終わらせてください。

「ちゃんとＡＶも見ててね」

「わかってるわよ……」

不破はあたしの胸をねちねちと撫で回す。

最初はただくすぐったいだけだったのに、少しずつ違うものが混ざってくる。それは蚊に刺された箇所を、爪（つめ）を立てずやわやわとひっかかれるような気分だ。

気づけば、ＤＶＤの女子大生もおっぱいをいじくり回されていた。それはあたしよりもっと遠慮なくて、胸が手の形に合わせてぐにぐにと変形してしまうほどだ。

あん、あん、と控えめな甘い声が部屋に漏（も）れる。あたしの鼓膜を震わせるそれが、自分の口から漏れ出ないように、あたしは両手で口を抑えた。

不破の指は胸だけじゃなくて、鎖骨や肩、二の腕、脇の下やお腹、背筋に首元など、あちこちを撫であげる。指の腹や手のひら、爪先と、そのつど違う刺激を与えられ、あたしは思わずびくびくと体を震わせてしまった。

前回のボディタッチよりもさらに奥へと侵入してくるようなこれは、もう愛撫ってやつなんじゃないだろうか。

それか触診。どこが効いて、どこが気持ちいいのか、不破にねちっこく探られている。ブラしか外していないのに、丸裸にされてるみたいだ。

「あ、あのさ……。これ、あとどれくらい続けるの……？」

別にこれぐらいなんともないけど、そろそろ腕疲れてきたでしょ、という言い訳のニュアンスをにじませながら問う。

友達同士じゃなくても、察しのいい子ならあたしがやめてほしがっていることを当然わかってくれるはずだ。

だけども。

「ＤＶＤが終わるまでだから、あと一時間ぐらいかな」

「……っ」

不破はまったくもって容赦がなかった。腹立たしいのは、こいつがきっとあたしの心をすべて見透かした上でそう言ったことだ。

「ただ、鞠佳がやめてほしいなら、やめてあげてもいいよ」

さっきまでのあたしだったら、もちろんオッケーなんてしない言葉だけど、今はやや分が悪いから、逃げるのもまたひとつの手段だよね。

「そのかわり、やめてほしかったらキスしてね」

「……は、はあ？」

首を曲げて後ろを見る。互いの息がかかるほどの距離に、不破の顔があった。

一瞬、ドキリと胸が高鳴ってしまう。いや、高鳴ってる場合じゃない。てかなんで今高鳴った？　もうわかんない。キスとか言い出した不破が全部悪い。

「な、なに言ってんのあんた」

「べつに私はどっちでもいいから。鞠佳の肌、産毛が細くてツルツルしてて、すごく触り心地いいね。いつまでも撫でていられそう」

「いつまでもって……」

マジで言ってるの、この子……。

触られた箇所が熱をもったようにじくじくとうずく。思いっきり引っかかれたい気持ちと、早く解放してほしい気持ちが入り交じって、頭の中がぐちゃぐちゃしてゆく。

そのとき。

不破の右手が後ろからスカートの中に滑り込んできた。

「あ」と声を出してあたしは止めようとしたけど、ぜんぜん間に合わない。

「ちょ、ちょっと」

素足を滑る指先は、ピアニストみたいにとんとんとあたしの快感ポイントを的確に弾く。っていうか、なんで同性に撫でられて気持ちよくなっちゃうのか、まったくわかんない。だって友達にされたって、ぜったいこんな気持ちになんないし。

「不破、あんためちゃくちゃ慣れてない……?」

「ナイショ。もうちょっと調教が進んだら、教えてあげる」

「なによそれぇ……」

相変わらずムカつく。いっつも堂々として、空気を従えてる不破。

クラスでも自分だけは特別って顔で、誰にも内側を見せようとはしない。

どうせ周りを見下してるんだ。その場を円満に回すために空気を読んだり、面白くもないことに笑ってクラスの雰囲気を明るくしようとしてるような、人付き合いをがんばってる子たちをさ。

こんなやつに負けたくない。

って、心では強く思ってるのに……。

ふとももの内側をさすられる。血管の集まっている場所がじんわりと温められ、体の芯が熱を発する。頭がぼーっとして、とろけそう。

余裕たっぷりの不破に手を引かれ、一歩一歩気持ちいいという名のピラミッドを登らされている心地。頂上の景色はまだぜんぜん見えないけど、それはもしかしたらすごく近くて、あと数歩で届いてしまうのかもしれない。

「不破……ちょっと、もう……」

切羽詰まった声。画面の奥の女子大生はもうとってもじゃないけど、友達の前じゃ出せないような嬌声をあげていて、だからこそあたしもつられてこんな声を出してしまったのかもしれない。

「無理だって、これ以上……」

「じゃあ、キスする？」

「それは、ヤだ……」

「いいよ、私はどっちでも」

内ももをさすっていた不破の両手が再び胸に添えられた。それはゆっくりと、だけど確実に先っぽの、一番うずきの強いところへ近づいてゆく。

不破の手を止めようとしたけど、ぐったりとした全身には力が入らない。

「だ、だめだってば……不破……」

「画面の子は、すっごく気持ちよさそうにしているよね。今の鞠佳、おんなじ顔してるよ」

「うそだよ、そんなの……」

「私は、鞠佳に気持ちよくなってほしいだけ」

「それも、ぜったい、うそ……んんっ！」

キュッと不破の指があたしの先端をつまんだ。その瞬間、背筋に快楽の電流が走る。

思わず声が出た。

「やっ、あぁんっ」

足の指を丸めて、強い刺激に耐える。

なのに、不破は断続的に何度も何度も先端をいじる。じんわりと高まった全身の熱が一箇所に集まってゆく。あまりにも敏感になりすぎたそこは少しの痛みすら受け入れ、もうなにをされても気持ちよさだけをあたしに伝えてきた。

強く触られて、優しく引っかかれて、ピンと弾かれて、根本から先端までを擦(こす)り上げられて、あたしは何度も押し殺した声を漏らす。

勝手に腰がはねて、もう頭は真っ白だ。

「かわいいよ、鞠佳」

「そんなっ、こと……い、いわれても……っ」

不破は敏感な部分を指でいじりながら、後ろからあたしの耳たぶを噛んだ。別方向からの不意の刺激に、あたしは「ああっ」と切なげな声をあげる。

不破のぬるぬるの舌がそのまま耳の穴を責めてきて、鼓膜どころか背筋までも震わされた。

これ、やばい。

胸と耳の同時攻撃に耐えきれず、あたしはもう白旗寸前だった。少なくともこれ以上は無理。たっぷりと砂糖水の入ったグラスは、ほんのひとゆらぎであふれ出てしまう。

本当になにかあとひとつでもされたら、キスでもなんでもして許しを請うだろう。

だけど。

ふっ……とまるで潮が引くように、不破は責め手を緩めた。手のひらは腰に回されて、自分の体温を伝えるようにギュッと抱きしめてくる。

「あ、え……?」

あたしは間抜けに口を開いて、熱に浮かされたような顔で不破を振り向く。

不破はまるで慈しむような微笑を浮かべてた。

「おつかれさま、鞠佳。二時間耐えきったんだよ。やるね」

「あー……」

見やれば、ＤＶＤは再生を停止してた。ぜんぜん実感がない。最後のほうはほとんどなにも覚えてないし。体を絡めたり、えっちな水音が漏れたりしてたけど……。そっか、終わったんだ。

「……終わったんだったら、離れてよ」

「うん、そうだね」

不破はさっぱりとした所作であたしを解放した。あたしは唇をへの字に結んだまま、ブラをつけ直し、ワイシャツの前を留めて、身だしなみを整える。

ただ、先っぽを中心にじんわりと広がる気持ちよさの火は、体の奥でくすぶったまま。もっともっと満足するまでいじくり回してほしいとあたしに懇願してた。うっさいな、もう……。

不破はベッドに座り長い脚を組みながら、愉快さを浮かべた瞳であたしに問う。

「どうかした？　鞠佳。なにか、してほしいことがあるの？」

「……ありませんけど？」

あたしは榊原鞠佳の本体として、カラダからの切実なおねだりを却下する。しくしくと泣く声がしたような気がするけど、そんなのは知らない。

そう、結果だけを見れば、あたしは不破の責めを耐えきったのだ。本日はどこからどう見ても、あたしの完全勝利である。

「ま、ちょーよゆーだったけどね。慣れてるって言っても、不破、大したことないんじゃない？　不破に勝って一万円までもらえるなんて、気分いいわー」

「そうだね」

まるで子供扱いするみたいに不破はあたしの頭を撫でる。

ふふふ。今だけはそのボディタッチも、心地よい。

勝ち誇るあたしに向かって、不破は涼やかな顔で言った。

「それじゃあ明日からしばらくAV見ながら愛撫させてもらうから、よろしくね。いつか鞠佳に勝てるようにがんばるよ」

「……へ？」

明日から、しばらく……？

目を白黒させるあたしの頰を撫で、耳元にささやいてくる。

「――次は徹底的に落としてやるから、覚悟してね」

あたしはぽかんとしたまま、不破にしゃぶられて湿ったままの耳を、手で押さえた。

なんだかすごい地雷を踏み抜いた気がするけど……。これは、気のせいじゃないのかもしれない……。

決着の日まで残り92日。

その日からの一週間は、なんか、もう、さんざんな日々だった。

翌日もレズDVDをかけられながら、あたしはずっと体をいじくり回された。ていうかむしろ苛め倒された。

余計な挑発をしたからだろう。不破の指使いはさらにねちっこく、しつこくて、重度の構ってちゃんのようだった。

乳房を揉みしだかれ、乳首をさんざん責められた。おっぱいはもはやあたしのものじゃなくなったみたいに痺れがとまらなくって。

それでもこの日はなんとか耐え抜いた。

さらに翌日も、不破の腕にしがみついちゃうぐらい気持ちよくなっちゃったけど、それでもまあ、乗り越えられた。あたしも慣れてきたのかな、なんて高をくくってたんだけど。

その次の日、運命の土曜日。

先週の土曜日は不破が忙しいから自主練（自宅で百合マンガ）になったので、あたしと不破にとっては初めての土曜日だ。

最初の『契約』のときに、約束したことがいくつかある。平日の『調教』は、放課後の二時間だけ。その代わり、短い時間の分は土日祝日にまとめて精算すること。

つまり、あたしに差し迫った用事がない限りは、不破と一緒にいなければならない、ということで。

この土曜日に、不破はとんでもないことを言い出した。

「きょうは、ＤＶＤ三本ね」

こいつ未成年のくせに、どこからそんなにＡＶ借りてくるのか。お金持ちだから謎ルートでももってるのかしら。

それはそうとして、この土曜日にあたしは完全に痴態を晒してしまった。

「むりっ、むり、むりだから！　だめ、やめ、お願い、不破っ！」

　不破はずっと手加減していた。すべてはこの土曜日にあたしを破滅させるために。あたしは不破の手のひらの上で踊らされてたのだ。

　この日、あまりにも入念なマッサージみたいに、六時間かけて全身をトロトロになるまで溶かされたあたしは、泣きじゃくりながら不破にキスをした。

　大事にとっておいたわけじゃないけど、それはあたしのファーストキスだった。

　自分がなに言ったのか、不破になに言われたのか、まったく覚えていなかったけど。でも、あたしからキスをさせるときの不破のあの、本物の肉食獣みたいな目だけは印象に残ってた。

　初めてのキスはほとんどなにも感じず、ただ皮膚と皮膚をくっつけただけの感触で、心のどこかで（なんだ、こんなもんか）って思ったような気がする。世間さまはこんなのをトクベツにありがたがってるのか、みたいな。

　けど、もちろんそれだけじゃ終わらなかった。

「ふぁ……あぁむ……んっ……」

　唇を重ねるだけのキスはすぐに、貪（むさぼ）るような乱暴なキスへと変わってゆく。突き出したあたしの舌を、不破は唇と舌で柔らかく包み込んでくる。

　口の中の全部を味わうようなキスだ。これはなかなかに強烈で、頭が漂白されちゃうぐらいの攻撃力があった。

うっすらと目を開くと、パール入り下地で整えられたツヤ肌みたいな、透明感あるまぶたが視界に飛び込んできて。

クラスで遠くから眺めるだけだった無愛想な美人が、あたしのためだけに全神経を集中させてるってことに、言葉にできないような感情を覚えてしまいそうになる。

キスっていうのは、ただ粘膜を接触させることよりも、こうして相手に時間を捧げてるんだっていう証明みたいなものなのかもしれないな、ってあたしは思った。

お互いの時間がぴったりと重なって、同じ時を刻む。それこそがキスの醍醐味なのかもしれない……みたいな。

しばらく経つと、不破はあたしの肩を押し返して、熱っぽい息をはくあたしを見下ろしながら、微笑んだ。

「はい、これでおしまい」

「……え？」

ペットボトルのキャップから炭酸が抜けるような音を立てて、あたしの中から、はしたない体温が散ってゆく。

肩透かしを食らったあたしの額を指でツンと突いて、不破はいたずらっぽく笑った。

「続きは明日ね」

その日は一日ずっと悶々としてた。

嫌いな不破に屈服してしまったことがまず最低だし、不破に与えられた快感が忘れられないのも最低で、翌日をめっちゃ期待してしまってることだって最低だ。

ただ、ひとつだけ誤解しないでもらいたいのは、今のあたしは肉欲に溺れてるだけであって、相手が女子だからとか、女子に対してだからとか、そういう特別な感情は一切ないことだけは覚えててほしい。

不破のことだって、相変わらず嫌いだし、学校では口を利いてないしね！

だから翌日の日曜日に――。

「はむ……。ちゅ、んっ……ふぁぁ……んむ……」

こんな風に、不破にベッドに押し倒されて、舌と舌を絡めるような深いキスをしてるのも、ただ肉欲に溺れただけの結果なのだ。

ＤＶＤは流れてるけど、もうあたしたちはそれを見てない。抱き合いながら唇をついばんで、互いの情欲をただひたすらに高めてる。

テレビから漏れるあえぎ声と、いやらしい水音と、あたしの荒い息遣い。そんなもので満たされた部屋の中で、あたしたちは体温を分け合った。

ＡＶ三本分。だいたい六時間かけて、あたしは不破に徹底的に躾けられた。

「女同士って、こんな風にするんだ……」

「お気に召した？」

「……冗談でしょ。あんなところ触られたり、いじられたりするの……ほんとムリだから……」

行為が終わった後、ベッドに横たわるあたしの頭を不破は余裕たっぷりに撫でて。

「鞠佳、かわいかったよ」

なんて言って、マウントを取りにくるのだ。ほんっと悔しい。

それだけやったにもかかわらず、月曜日と火曜日に不破はじれったくなるような愛撫しかしてこないしさ……。

ここらへんの緩急も含めて、すべて不破の思い通りなんだろうなっていうのも、なんかすごくムカついた。


というわけで、決着まで残り85日となった、水曜日。

「きょうもAV見るわけ？」

「そうだね」

「はいはい、まったく……」

不破から受け取ったDVDをプレーヤーに突っ込む。そうすると、すぐに映像が流れ出す。

今回のは3Pモノだ。女性がふたりでウブそうな女の子を責める感じの。

「あたし、ここ一週間でもう一生分のAV見た気がする」

「人生の経験値を荒稼ぎしてるね」

「こんなんでレベルアップしても、ぜったい偏った成長しかしないでしょ」

定位置につくと、隣に座った不破が顔を近づけてくるので、「ん」とキスを返す。

この行為になんのためらいもなくなってる辺り、確かに偏った成長を遂げてる気がする……。

あたしの肩に不破が頭を預けてくる。おててはは恋人繋ぎだ。きょうはなんか、甘えられる日らしい。

「頭、重いんだけど」

「人間の頭ってボウリング玉ぐらいの重さがあるらしいからね」

「わかってるならどいてほしい」

女ふたり密着してレズＡＶを見るこの雰囲気。完全に倦怠期カップルではないだろうか。もちろんあたしと不破はそんなんじゃない。学校ではカースト上位を争うライバル同士であり、今は勝負の真っ最中だ。

改めて念押ししておこう。

「もしかして勘違いされてるのかもしれないんだけど」

「ん」

「あたしは不破のこと、好きでもなんでもないんだからね」

「ていうかむしろ嫌いだよね」

さらりと言われる。

は？

「知ってたの？　てか、知っててこんなことしてるの？　え、意味わかんない」

「だって、嫌われてる子を徹底的に落とすほうが楽し」

「あーいいです、聞きたくないです。ほらほら、女優さんががんばってるわよ」

二週間ほど一緒にいてわかったことがいくつかある。

それは、不破がだいぶ変わってるやつだということ。

我が強くて、負けず嫌いで、自信家で、意地悪。クラスの澄ました態度とはぜんぜん違う。当然、こっちが不破の本性なんだろう。

人はみんな自分の居場所をもってる。あたしは学校が自分の居場所だ。

学校にはたくさんの友達がいるし、大勢の子があたしを認めてくれる。なんとなくじゃなくて、ちゃんとがんばった結果で摑み取った地位だから、自信にも繋がってる。

人によって居場所は様々で、家族だったり、塾や部活、あるいはＳＮＳ、音楽、カラオケ。それに〝独(ひと)りでいること〟が居場所なんて人もいると思う。

ようするに居場所っていうのは、なんでもない自分を着飾るファッションみたいなものだ。それがあって、初めて自分が自分でいられる、みたいな。

不破ほど自信満々な女の居場所は、どんなところなんだろうか。少なくとも学校じゃないことだけは確かだけど……。

大量のAVといい、お金といい、あまりに謎が謎すぎる。

そんなことを考えてると、隣に座る不破に脇をつんつんされた。

「ひゃっ！　……な、なによ。びっくりするでしょ。わかってるわよ、ちゃんとAV見るように、でしょ」

「うん。調教が行き届いてて、ご主人様もうれしいよ」

「誰がだ誰が」

頭をがしがしと撫でつけられた。あたしの中の虎がフシャーと威嚇する。

くっそう、学校ならもっとあたしも本気を出せるのに……。

でも、ありえないことだけど、万が一学校で不破に負けたらもう二度と立ち直れなさそうだから、口には出さないんだけどね！

「てか、DVD何本見せられようと同じだから」

不破の手を払い除けて、あたしはテレビ画面を指差す。

「だいたいさ、こんなの作られた世界のお話じゃない」

「作られた世界」

「性欲を満たすために作られたものでしょ。全部とは言わないけど、ただのお芝居じゃん。出演者が実際にレズかどうかなんてわからないわけだし。こんなの見世物でしょ。つまり『ありえない』ってわけ」

あたしの言葉に不破は。

「そうだね」

またもあっさりと同意した。

相変わらず認めるのが早すぎて、なんか裏がありそう……。

「不気味なんだけど」

「いいの。鞠佳の体を落としただけで、今回の目的は達成したから」

「別に体だって落とされてるつもりはないし！」

自分の胸を自分で抱きながら放った言葉に対して、不破の返しはなかった。それはもしかして優しさだったのかもしれない。いや、落とされてないけどね⁉

白い手が近づいてきて、あたしの耳をなぞる。体がびくっと震えた。

不破があたしの顔を覗き込みながら問う。

「これは？」

「あんだけさんざんいじくり回されたんだから、こんな風にもなるでしょ！」

「そうだね」

くすくすと笑う不破。なんか手懐けられてるみたいで、ムカつく……。

「ま、ＡＶ鑑賞は金曜日まで」

「第三段階ですか」

「そ」

今度はなにをさせられるんだか。

「マンガ、AVと見てもらったわけだけど、結局鞠佳にとっては、どちらもリアリティのないお話ってことだよね」

「……まあ、そうだけど」

的確にそこを突いてくるから、あたしはなにも言えずにうなずいてしまう。

不破は「だからこそ」と話を切り替えた。

「次の土曜日、ちょっと付き合ってくれる?」

じっとこちらの心の中を覗くような目。あたしはこの目に弱い。学校で虚勢を張ってるのも含めてあたしなのに、その虚勢を取っ払って本物だけを見ようとする不破。

その行為はもしかしたら正しいことなのかもしれないけど、だからこそ苦手だ。

けど逃げたくない。あたしは不破の目を正面から見て、うなずいた。

「いいわよ。だって、『契約』だもんね」

不破は意味ありげに微笑んだ。

「いい子ね、鞠佳」

こうして次の土曜日、あたしはとんでもない場所に連れてかれることになる。

そこでは、不破を支える『居場所』の正体が、明らかになるのだった。

ARIOTO

onnadoushitoka ARIENAIDESYO to
iiharuonnanoko wo hyakunichikan de
TETTEITEKINI otosu yuri no ohanashi

第二章

ARIOTO

oonadoushitoka ARIENAIDESYO to iihanonnanoko wo hyakunichikan de TETTEITEKINI otosu yuri no ohanashi

土曜日。決着の日まで、残り82日。

あたしは夜の駅前で不破(ふわ)と待ち合わせをしてた。

先週の土曜日に体をめちゃくちゃにされたあたしとしては、半日休めるのがラッキーな反面、半日あたしを休ませた不破の思惑が不穏すぎてビビる。

まあいい。なにを考えてるかわかんないけど、きょうのあたしはとびきりのオシャレをしてきたから無敵だ。

ついこないだ買ったばかりのツートンのワンピースに、同じくセットで買ったボトムを合わせた。バッグはもちろん三万円の例のやつ。靴もアクセもおろしたてです。

駅前で待っていると、人の視線をヒシヒシと感じる。どう、今年一番に気合を入れたこのコーデ。かわいいでしょ。これなら不破だってあたしに一目置くことになるわ。不破があたしを見て驚くその光景を想像しながら、ニヤニヤと待つ。

不破は時間ぴったりに現れた。

「やあ、鞠佳(まりか)」

いつものスクールメイクより目立つ、キラッとしたハイライトカラーを目元に乗せた彼女は、ノースリーブのブラウスに、シックな黒のタイトスカート。７センチのヒールを履いて、ハンドバッグを片手に提げたその姿は、夜の貴婦人を思わせた。

ひとつひとつのものがいいからか全体が調和して、オトナカジュアルなこなれた着こなし感を演出してる。

「げ……不破」

うっ……と気後れしてしまう。不破に比べれば、あたしはどう見ても大人に憧れた高校生。あらかわいいわね的な微笑ましさがあるお子様。それに比べて不破は、完璧にただの美人であった。

あたしの全身を上から下まで眺めた不破は、機嫌良さそうに片眉をあげる。

「かわいいね、鞠佳」

「う、うん……ありがと……」

って、素直に褒められてなんであたしが照れてんの！

あたしは腕組みしながら頭を振る。そうだ、あたしとこいつはただジャンルが違うだけ。別に勝ってるとか負けてるとかないし。

「ま、まあ、不破もそれなりにいいんじゃない？　似合ってる、と思うわよ」

「ん、ありがとう」

動じずに不破は微笑んだ。

てか、そうか。夜だから普段よりハイライトの主張強めなメイクをしてるのか。ファンデはマット系、コーラルピンクのチークに、リップも華やかなメリハリカラーだ。なるほど、勉強になっちゃったな……。

「なに?」

「や、別に……」

思わず顔をじーっと眺めてしまって、あたしは慌てて目を逸らした。

こんなところで対抗心燃やしてる場合じゃない。とりあえず帰ったら、ワントーン明るめのリキッドファンデを検索しようと思った。

並んで歩く。

なんとなくだけど、初めて見たあのＡＶを連想してしまう。かわいい系の女子大生と、美人の女優さん。ああもう、こんなこと考えるとか、あたしどうかしてる。

「で、どこいくのよ」

「先に言っちゃうと、ドキドキが薄れないかな」

「こっちはどこに連れてかれるのかって、ビクビクしてんのよ……」

「じゃあ言うよ。私のバイト先」

「え、あんたバイトしてたの?　どこで?　どんなとこで?」

「あとは行ってからのお楽しみ」

「もったいぶるようなことじゃないでしょ、バイト先ぐらい。別にいいけど」

あたしたちは駅のホームに降りて電車に乗った。京王線で二十分足らず。新宿に到着する。東口を出て、都会の喧騒へと繰り出した。

土曜日の夜ということもあって、人があまりにも多い。うわっ、酔いそう。

「新宿でバイトしてるとか、ずいぶん背伸びしてるじゃん」

「そうかな。もともと知り合いに紹介してもらったところなんだよ」

「ふうん、いいね。あたしもそういう信頼できる人の紹介で働けばよかったな。前のバイトなんて最悪でさ。おつかれちゃ～ん、とか言いながら店長が肩とか腰とか触ってくるわけ。ＪＫの肌ってピチピチしてるね～、とかさ。ホントキモすぎ。しばらく我慢してたけど、無理無理。キモさゲージ振り切っちゃったって感じ」

声真似しながらおどけて言うと、不破は熱っぽい視線でこちらをじっと見つめていた。な、なによ。

「大変だったね。そんなとこ潰れちゃえばいいよ」

「まあ、もう終わったことだし。てか、なにこれ、不破に慰めてもらってるの？　言っとくけど、あたしに誰よりも触ってんの、不破なんだからね。わかってる？」

「そういう言い方されると興奮しちゃうな」

「ヘンタイ」

半眼で毒を吐くも、不破は気にせずにスタスタと歩いていく。こいつ、飼い猫に甘噛(あまが)みされたぐらいにしか思ってないんじゃないのかな……。

「勤め先で悩んでいるんだったら、私のバイト先、紹介する？」

「ん……雰囲気がいいところなら、それもいいかな。てか、不破のバイト先ってファミレスとかじゃ、ぜったいないでしょ。笑顔を振りまいてる光景とか、想像できないし」

「そうだね、あってる。笑顔ぐらい、私だってできるけど」

「うそだー。営業スマイルとか無理でしょ」

「できる」

「じゃあやってみてよ、ほらほら」

あたしがからかうと、不破は眉根(まゆね)を寄せてそっぽを向いた。頬(ほお)がちょっぴり赤くなってる。

やっぱりできないいんじゃゃん。久々の完勝に胸がすく。

「とにかく、お店、鞠佳なら気に入ると思うよ」

「そこまで言うなら、楽しみにしてよっかな」

何本かの路地を通って、お店の前にやってきた。

雰囲気のあるバーだ。こういうところってアルコールに触らなければ未成年でもバイトできるんだよね。あたしも前調べたので知ってる。未成年だと22時までしか働けないけど。

それよりも、ワクワクしてきた。こんな店に入るのは初めてだ。隣に不破がいることも気にならなくなって、あたしはドアを開く。

いい気分で店内へと一歩を踏み出して——。

カウンターでキスしてるふたりの女性を見て、凍りついた。

「私が働いてるビアンバー、きっと気に入ると思う」

「気に入るかー！」

あたしは端っこのカウンター席に通された。

周囲では、イチャイチャ、イチャイチャ……。女性同士が指を絡めたり、隣同士に座ってなにもせずただ肩を抱いてたり、さっきみたいにキスをしてたり……。

照明が薄暗いため、なにをしているのかよくわからないけど、お客さんはみんなリラックスして自分たちの時間を楽しんでるようだ。

なんであたしこんなところに……。場違い感がものすごいんだけど。

「キミ、高校生でしょ。いいわね、きょうは相手を見つけに来たの？　それとも雰囲気を楽しみに？」

うなだれてると、カウンターの中からスタッフさんに話しかけられた。ショートカットのこざっぱりとしたバーテンダーさん。小柄だけど顔が小さいから相対的にスタイルがよく見える。

どこかで見た顔だ。芸能人に似てるのかな？

「あの、違います、あたしは」

「あはは、冗談冗談。驚かせてごめんね。アヤちゃんの友達でしょ？　今、裏で準備してるからこれでも飲んで待ってて」

お姉さんは快活な笑顔を見せて、あたしの前にカクテルグラスを置いた。

透き通るような透明のブルーに、赤と黄色のラインが走ってる。見とれちゃいそうなトリコロール。いや、でも高校生だとわかってこれ出したら、お店潰れちゃうのでは。

「大丈夫、ノンアルコールだから。うちはいろんな人が来てくれるからね。色々揃えているのよ」

「あ、そうなんですか」

「うん、だから安心して。けっこう自信のあるオリジナルカクテルなんだよ。かわいいお客さんに、サービス♡」

チャーミングなウィンクに、胸がキュンと鳴る。

やだ、なにこの人すっごくかわいい。お友達になりたい。でも……。

「あの、お姉さんもレズなんですか……？」

「そうだよ。うちは目立たないし、観光バーじゃないからね。男性はおろか、ストレートの子もほとんど来ないんじゃないかな」

「観光バー？　ストレート？」

「ああ、ストレートっていうのは、異性愛者のこと。キミはそうじゃないの？」

「そうですそうです。女同士とか、その、よくわからないので……」

さすがにこのお姉さんに『ありえない』とは言えず、率直な感想を口にした。

カウンターを挟んでお姉さんと話してると、自分がすごく大人になったみたいな気がしてくる。

お姉さんは慈しむような、昔を懐かしむような顔で微笑む。

「素直だね。あたしも昔はね、同性愛ってよくわからなかったんだ。なんでわざわざ女の人と付き合わなきゃいけないんだろうってね。でもあるきっかけで気持ちが変わっちゃってさ。それ以降コロッとね。ね、キミはどうして男の人が好きなの？」

「え？」

逆に問い返されて、きょとんとする。

「えーっと……どうして、なんでしょう？」

「初めて好きになった人が、男の人だった？」

「あ、はい、それはありました。小学五年生のときに、かっこいいクラスの男の子がいて、たぶんそれが初恋で……。え、だから男の人が好きってことですか？　女の子だったら、普通は男の人を好きになるんじゃ」

言ってしまってから、あたしは口元を押さえた。

お姉さんは優しく微笑んでる。

「なにが普通かって、学生の頃はやっぱり気にしちゃうよね。周囲の価値観とか、周りの目とか。でもね、それが自分にとっての普通じゃなくなった子のために、私はこのお店を開いているんだよ。そんな子の居場所を作りたいと思ってね」

そのとき、からんとお店のドアが開いた。スーツを着た長身の美人が入ってきて、こちらに手を振る。

バーテンダーのお姉さんはその人を見て、ぱあっと顔を輝かせた。「そろそろアヤちゃんも来るから、ゆっくりしていってね」と言い残して、その美人の下へ行く。まるで恋人と待ち合わせてる乙女みたいだった。

そのやり取りをぼんやりと見てる中で、ふっと頭の中に記憶が甦った。

「えっ、あのふたり、まさか」

不破の見せてきたＡＶの一本目。大学生と女優監督モノ。今来たのが監督さんで、バーテンダーさんが大学生の子だ。あのＡＶ、何年も前に撮られたやつだったんだ。

やっばい、ドキドキしてきた。なんか、え、なんか、え、やばくない？　ＡＶ出てた人と今あたし、話してたんだ。

ノンアルコールカクテルで渇いた喉を潤す。甘い口当たり。

けど、もったいないことに味はあんまりわからなかった。胃の中に流れ落ちてゆくばかり。

「おまたせ」

「ひゃっ！」

あたしは飛び上がって叫ぶところだった。後ろから現れたのはもちろん不破。白いシャツの上からカマーベストを羽織り、クロスタイを身に着けたパンツスタイル。長い髪を後ろに束ねている姿は、相手が不破だとわかりながらも見惚れてしまうほどかっこよかった。

「ふ、不破」

「なに？　変な顔して」

「いや、その……けっこう、似合うんじゃん？　わかんないけど……」

不破はいたずらっぽく微笑む。その笑顔は、先ほどのバーテンダーのお姉さんを思い出させた。

「光栄だね」

「うう……てか、なんなのこの店。なんでＡＶに出てた人がいるの……？」

小声で問う。

「もともと、可憐さんが始めた店だからね。ＡＶに出たのは、開店資金と人生勉強のため。お客さんも、可憐さんのファンが多いよ」

「なんで職場の上司のAV見せてきたの⁉　ヘンタイなの⁉」

「可憐さんも、お客さんが自分の乱れた姿を見たことあると思うと、興奮するっていつも言ってる」

「ヘンタイか！」

バーテンダーの不破はカウンターの中に入って、頭を抱えてるあたしの前に回る。

「ご注文は？　お客様」

「そうね……お水かな……」

「じゃあ、私の一番得意なカクテルを」

不破はシェイカーを振る。ずいぶんと昔から働いてるのか、その姿はサマになってた。いつもと違った不破の真剣な表情に、あたしは妙にドキドキしてしまう。

「あー、アヤちゃんカウンターに入ってるー」

「相変わらず美人ねえ、アヤちゃん」

近くのテーブル席から黄色い声が飛ぶ。不破は大人びた表情で微笑む。それは紛れもなく不破の自然なスマイルだった。ちゃんと店員してる……。

「……なんか、すっごい人気ね」

「そう？　いつもこんなものだよ」

それっていつも人気者ってことじゃないの？

大人の女性たちにチヤホヤされる不破。かたや、押し込められたクラスで人気者のあたし。どっちかが上でどっちかが下かなんて簡単には言えないんだろうけど、あたしは敗北感を覚えてしまう。むう……。

それに、なんか。

「……不破って、ここの人たちからは絢って呼ばれてるんだね」

「そうだね」

胸元のネームプレートには、ＡＹＡの文字。

大人にアヤちゃんアヤちゃんと呼ばれていい気になってる不破を見るのは、なんだか気に食わなかった。

だから、ちょっと水を差してやろう、ぐらいの気持ちで。

あたしは頬杖をつきながら、素っ気なさを装ってつぶやく。

「じゃああたしも、絢って呼ぼうかな」

「……」

ぽつりと言ったその言葉に、絢は持っていたシェイカーを、からんからんと床に落とした。

後ろから「アヤちゃんが落とすなんて」「うん、珍しいね」との声。

「どうかした？　絢ちゃん」

嫌がらせじみた猫撫で声で「絢ちゃん」を強調して発音する。絢は憮然としてた。

「べつに。好きに呼ぶといいよ」

「それじゃお言葉に甘えて、絢」

　声に出してみると、不破より『絢』のほうがしっくり来た。先に鞠佳って呼び捨てにされてたからってのもあるけど、より絢と横に並んでるって感じがする。

「……はいはい」

　思った以上に絢が動揺してくれたのが楽しくて、ただそれだけなのに、さっきまでズシンと胸にあった敗北感と、チクチクした気持ちが和らいでいった。ま、あたしの目的は完全勝利だからね。とりあえずこれで一勝一敗。ふりだしに戻る。

　しばらくして、絢はガーネット色のカクテルを差し出してくる。オレンジピールのいい匂いがする。絢がなんであれ、作られたカクテルに罪はない。あたしはそれを目で楽しんでから、舌でも楽しませてもらう。

　爽やかに喉を流れてゆくけど、きりりとした主張が後に残る味。その存在感は、まるで学校の絢みたいだ。

　グラスの中の液体を光にかざしながら、ぽつりと言う。

「なんかこのカクテル、絢っぽい」

「……そう？」

「うん」

「そっか」

絢はあどけない笑みを浮かべる。

自分の作ったカクテルを褒められて喜ぶ絢は、ほんの少しだけ、かわいい。

……いつもそうやって、素直になってりゃいいのに。

「いいじゃん、学園祭とかでバーテンダーやったら？　モテモテになるんじゃない？　絢目当てで他校から男子生徒集まってくるかもよ。女子生徒だって寄ってきたりね」

「いらない。間に合ってるから」

「……それあたしのことじゃないでしょうね」

「さあね」

肩をすくめる絢に、やってきた可憐さんが「きょうはずいぶんと楽しそうだね」と笑いかける。絢は「そんなことないです」と言ってた。

それからは、働く絢のことをぼうっと見ていた。職場ではちゃんと敬語使うんだ。他にやることもないし、時々スマホをいじりながら。

微笑を浮かべた絢が、バーの中をせわしなく行き来してるのが、なんだか面白(おもしろ)い。普段はあたしのこと、あれこれ言うのにね。お客さんっていい立場だ。

絢の写真を撮ろうとしたら「やだ」と言われたので、こっそり撮ってやった。

学校とも、あたしとふたりっきりのときとも違う絢の顔。画像の絢は違う世界の人みたいに大人びてた。

この薄暗い空間に、あたしを知ってる人は絢しかいない。

学校で肩肘張ってキャラ守ってるのもあたしは好きだけど、ここはふわふわしてて、おしゃれしてるはずなのに薄手のパジャマ一枚しか着てないみたいな気分だ。

『お店、鞠佳なら気に入ると思うよ』

働いている絢の真剣な横顔を眺めながら、ノンアルコールカクテルの残りを飲み干す。あたしは空のグラスを見つめながら、熱い息をつく。

「……落ち着かないっての、こんなの」

女の人を愛する女の人に囲まれながら、あたしは非日常の波間を揺られていた。目を閉じて、かかってるジャズＢＧＭに耳を澄ます。

輪郭が溶けてゆくような気持ち。

「ね」と話しかけられた。

目を開く。そこにいたのは、金色の髪をしたハーフっぽい顔立ちの女の子。日本人離れした美形だ。

いつの間にか、あたしの隣に座ってた。

なんだこの子。ＡＶ女優さん、バーテンの絢と続いて、さらにめちゃくちゃな非日常が押し寄せてきたぞ。

さすが新宿と言うべきか。最近授業でやった英単語を慌てて思い出してると、彼女は流暢(りゅうちょう)な日本語を喋(しゃべ)ってくれた。

「ワタシ、アスタロッテっていうの。アナタは?」

「ええと……榊原(さかきばら)鞠佳、だけど」

「そう、いい名前だわ」

彼女は太陽みたいにエネルギッシュな笑みを浮かべる。トウモロコシ畑が似合いそうな笑顔だった。しかし、なんのご用で……。

「あの……?」

「珍しい顔だから、話しかけちゃったわ。ここでワタシと近い年頃(としごろ)の女の子を見るなんて、めったにないいんだもの」

「いやまあ、きょうは友達に誘われて……」

辺りを見回すが、休憩時間中なのかトイレなのか、絢の姿はなかった。それだけで妙に心細くなる。いや別に絢がいなくてもぜんぜん大丈夫だけど。問題ないけど。

アスタロッテは大きな目を細めて笑う。あたしを惚(ほ)れさせようとしてる笑顔かそれは。残念、異性愛者には効かなかった。でもやたらとかわいい。

「アナタ、ここにはよく来るのかしら?」

「ううん、きょうが初めてよ」

「そう、じゃあお友達になりましょうよ。サカキバラ・マリカ……マリー、じゃあアナタはマリーね」

彼女はあたしの手をギュッと握って、ぶんぶんと振る。

なんて人懐(ひとなつ)っこくて強引(ごういん)な子だ。あたしよりもぜんぜん手がちっちゃい。もしかしたら年下かもしれない。

あっ、ていうかこれ、もしかしてナンパってやつ？　ひょっとしてあたし、女の子に声かけられてる？

少し前ならゾゾゾゾゾと思ったかもしれない。でも今はなぜか嫌だと思わなかった。そういう世界があると、知ってしまったからだろうか。

アスタロッテはかわいいし、そんなかわいい子の興味を引いてるというのも嬉(うれ)しい。悔しいけど、ここらへんはすっかりと絢の術中にハマってるなあ。

「ワタシ、たまにこのお店にいるから、また会えたらよろしくだわ、マリー」

「うん、よろしくね、アスタロッテ」

するとだ。アスタロッテはおもむろに立ち上がると、こちらが警戒するような暇も与えない自然さで、あたしの唇にチュッとキスをしてきた。

え、ちょ、マウストゥマウス！　いきなり⁉

「なななな……」

彼女は呆然とするあたしに構わず、「またね！」と言って店を去ってゆく。

嵐のようだった。驚きすぎて怒りもわかない。

ひえー……。あれが海外の人の挨拶ってやつかしら……。

アスタロッテの唇は絢のものとは違った感触で、少し湿ってた。でも、どちらもすごく柔らかい。男の人に比べて、女の子の唇ってぷるぷるしてるらしいけど、これがそうなんだろうか。

ひょっとして、唇が柔らかいから、女の人も女の人が好きになる……？　いや、そんなそんな、まさかそんな短絡的な……。

「終わったよ。待たせてごめんね。帰ろっか」

「ひえっ」

着替えて戻ってきた絢が「？」と怪訝そうにあたしを見る。

「どうかした？」

「ううん、なんでも」

アスタロッテにキスされたことについては、なんとなく言い出せなかった。言ったら怒った絢に八つ当たりされるような気がしたのだ。あたしまったく悪くないのに。

てか、あたしは絢と付き合ってるとかとまったく違うんだから、そんなのいちいち報告する義務とかないわけだし。……うん。ま、そういう感じ。

「……鞠佳、私のいない間に、誰かにナンパとかされてなかったよね？」

「そ、そんなことまったくないけど?」

「ふうん……」

お会計を済ませたあたしは、絢の視線から逃れるように店を出たのだった。


夜の帰り道。賑やかな通りを抜けて、駅前へと向かう。土曜日の22時過ぎ。新宿の混雑はピークを迎えてた。

あたしが途中はぐれそうになったからって、摑んできた手を絢は離してくれない。

振りほどこうなんて思わなかったのは、それはどちらかというと、子ども扱いというより、大切な女の子として扱われてる……みたいな雰囲気だったから。

うそうそ、なに言ってんだろうね。意地悪な絢がそんなことするわけないのに。

「いつまで繫いでるの? もうすぐ駅なんだけど」

「鞠佳、新宿慣れてないからね」

「……でも、絢と仲良くしてるのが学校のだれかに見られると、なんかこう、説明が大変っていうか」

「こんなに人がいるんだよ。見つかるわけないよ」

「むう」

そりゃそうだ。週末の新宿は人があまりにも多すぎて、言葉があふれてる。クラスでは目立つあたしと絢だけど、ここではどんな過激な話をしてもすぐに流されてゆくだろう。

絢はあたしと恋人繋ぎの手を振りながら、ゆっくりと駅へと向かう。

「私、新宿の夜、好きなんだ。こんなに人がいると、誰も私のことを気にしないから」

「それって、寂しくならないの？」

「安心するよ。私がみんなと違ってても、誰もなにも思わない。私は私のままでいられる」

「絢にも、同調圧力ってやつ、あったりするの？」

「そんなの、あるよ」

「へー」

素直に意外。絢は久々に呆れた目。

「鞠佳って私のことただのヘンタイだと思ってる？」

「変わったヘンタイだと思ってるよ」

アルタ前のスクランブル交差点を横断しながら、絢はため息をつく。

「学校では、できるだけ普通に振る舞ってるつもり。でも、うまくできてないから友達もいない。だから、鞠佳はすごいなって思ってた」

顔には出さなかったけど、すごくびっくりした。

「え？　あ、あたしが？」

てか、絢が友達いないこと気にしてるとか、まったくの想像外。唐突にセンチメンタルな面を出さないでほしい。びっくりするから。

　こんなに騒がしい夜なのに、絢の声だけは蛍光マーカーでチェックがついてるみたいに、はっきりと聞こえる。

「クラスで賑やかなときは、いつも鞠佳が輪の中心にいるから。きっと鞠佳はどこにいても馴染めるんだろうなって。可憐さんの店でも、カウンターの端っこに座る鞠佳、絵になってた。鞠佳のいるところが、鞠佳の居場所になるんだね。かっこいいよ」

「……」

　人混みを避けるのに夢中で、絢があたしのほうを向くことはない。

　でも、それがよかった。

　きっとあたしの顔は、真っ赤になってしまってただろうから。

　なんだろう、この気持ち。

　絢のことなんて、ずっと苦手なはずなのに。

　ちょっと褒められただけで、認められてるって知っただけで、なんでこんな温かい気分になっちゃうんだろう。

「私は違う。どこにいても、なにをしてても、ここにいていいのかなって思うから」

「学校の絢は」

勝手に口が開いた。自分がなにを言おうとしているのかわからない。でも、この気持ちを止めたくなかった。言葉が流れるに任せてしまう。

「ぜんぜん普通なんかじゃないよ。『私が不破絢だ』ってすごく主張してる。でもそれ、悪い事じゃなくて、その、かっこいいと思う。あたしは空気に合わせてるだけだから。したいと思っても、絢みたいにはできないし……」

絢のこと、ちゃんとうざいなって思ってたはずなのに。

でも、口に出してるこの言葉も、あたしの本心っぽい。

「なんていうか、あたしみたいなのはいっぱいいるけど、絢みたいなのはレアだよ。レアキャラ。いいじゃん、絢みたいなのがいても。てか、ここにいてもいいのかなって、いいに決まってるでしょ。そのために学費払って、クラスに自分の席があるんだから」

まくしたてると、絢はくすくすと笑ってた。

「……なによ」

「ううん。これ、鞠佳に慰められてるんだよね。やさしいな、って」

その甘い声に、思わず言葉が詰まる。

「べ、別に……。あのね、あたしは絢のこと、ライバルだと思ってるんだからね」

「私が？　どうして？」

「理由は悔しいから言わない。でも、そんなんだから勝手に敗北宣言なんてしないでよね。あたしはちゃんと絢に勝ちたいの」

責めるような口調で言うと、絢はさらに笑みを深めた。

なにがそんなに楽しいのかわからないけど、あたしは本気なんだから。

構内を抜けて京王線ホームへ。さすがにここまで来たら、絢も手を離した。

そのぬくもりがほんのちょっとだけ名残惜しかったのは、きっと彼女の手のひらが柔らかかったからだろう。

女の子のカラダって気持ちいいからね。仕方ない。

「じゃあ勝負の話に戻ろっか」

来たわね。あたしの心の虎が目を覚ます。

「今回は、女性が好きな女性が集まる店に来たわけだけど、どうだったかな」

身構えたあたしは、言葉を整理してからひとつひとつを並べてゆく。

「そういう人が現実にいるのはわかったわ。可憐さんも素敵な人だったしね。でも、だからこそあえて言うからね？　『ありえない』って」

「へえ」

絢は面白そうにあたしを見た。

「どうして？」

「だって結局そういう人たちもいるよ、ってだけの話でしょ。あの人たちが女の人を好きになるのは自由だもん。あたしだって、あの人たちに直接『いやそんなのやめなよ』って言うわけないし」

「ふんふん」

「……ただの住み分けの問題。あの人たちは同性愛者。あたしは異性愛者。で、あたしはずっと変わらず『ありえない』って思ってる。以上」

電車に乗り込み、中ほどまで進んでつり革に掴まりながら言うあたしの言葉を、なぜか絢は楽しそうに聞いてる。少しも焦（あせ）ったりしない。

「なるほどね。鞠佳はまだそう言うんだね」

「別に意地張ってるわけじゃないよ。本当に、本心でそう思ってるだけだし。今までいろんなことされたけど、あたしの考えは変わらないからね」

「いいや、変わってるよ」

絢はきっぱりと断言した。あたしはむむと顔をしかめる。

「なんで？　ずっと同じこと言ってるじゃん」

「それは結論が同じってだけ。鞠佳の中では、確実に考えが変わってるよ」

「考えが変わっても結論が同じなら、一緒じゃないの？」

「一緒じゃない。だって鞠佳は、頭がいいもの」

急に褒められて、あたしは居心地悪そうに腰を揺らす。なんだなんだ。

「鞠佳はちゃんと毎回、自分で考えてる。頑固な考えに凝り固まってるひとは、なにを話してもムダ。でも、鞠佳はちがう」

まるであたしよりもあたしのことを知っているような、自信たっぷりの声。少しでも弱気になったら、そうだったんだって納得しちゃいそうなほどに、強いささやき。

「マンガを読んで同性愛に詳しくなった。DVDを見てイマジネーションが広がった。バーで生身の人間と接した。そのひとつひとつは小さくても、確実に鞠佳に影響を与えてる。気づかない？　前よりもずっと『ありえない』の語気が弱くなってることに」

「……それは」

頭の中に浮かぶのは、可憐さんやアスタロッテ。それにお店にいた人たち。

実際の人に出会っちゃったら、強く『ありえない』なんて言うと、彼女たちを罵倒(ばとう)しているみたいだから。……一応、絢に対しても。

絢はあたしの耳元に口を近づけてきた。

「……それって、鞠佳が『女の子同士も悪くない』って思ってきたからじゃないの？」

「いや――　いやいやいや」

ここが電車内だって忘れて大声を出してしまうところだった。

「ないない、それはない。それだけはない」

女の子同士なんて、ちっともよくない。

唇とか手とかが柔らかいだけだ。でもそれって、あたしが女だから対象に安心感を覚えてるだけだよ。キスとか、ふれあいとか、そういうのだけだし。

恋愛するなら断然男。これは間違いない。ぜったいに。

でもそれが『どうして？』って聞かれると、あたしは返す言葉がない。だってそうするのが『普通』だし。……って響きは、まるで思考停止しちゃってるみたいだった。

「女同士にドキドキするなんて『ありえない』から」

努めて強く言い放つ。

絢はそれが見たかったんだよとでも言うような顔で、意地悪に笑った。

「じゃあ次は今までのおさらいをして、それから第四段階ね」

「……まだ諦めてないのね」

「当たり前」

絢はあたしの頭を撫でた。完全に見くびられてる。ムカつく。

「この分だと、百日もかける必要はなさそうだもの」

「こんの……」

決着の日まであと82日。あたしは改めて絢への敵対心を燃やす。

バーテンダーの姿はちょっとかっこよかったし、もしかしたらちょっとは話が合うかも？

なんて思ったけど、やっぱり絢だけはない！

こんなに意地悪で、自信たっぷりで、あたしのことを手のひらの上で転がしてるような女、無理。あたしは停車した電車から絢を振り切るようにして出ていく。

「絢なんかに、ぜっっったいに負けないから！」

ARIOTO

onnadoushitoka ARIENAIDESYO to
iiharuonnanoko wo hyakunichikan de
TETTEITEKINI otosu yuri no ohanashi

第三章

それからしばらくの間は、平和だった。

というのも、六月の第二週に体育祭があるため、委員に任命されてしまったあたしはなんやかんや放課後が忙しかったのだ。

こんなんで一日一万円もらうのはさすがに悪いと思ったんだけど、絢は『いや、そういう契約だから』とにべもない。頑固なやつ。

まあ、それならそれであたしは楽だからいいんだけどね。

絢の家に寄るときも、せいぜい二十分とか三十分ぐらい。まったく寄れない時期も続いてしまった。

これは最初のほうに絢と取り決めした『あたしに差し迫った用事がない限りは、不破と一緒にいなければならない』には反しない。

学校生活を円滑に送るのは、学生としては当然の行ない。それは絢も同意見だった。

『むしろ、私も一緒に立候補すればよかったな』とか言ってたけど、勘弁してよね。あんたとふたりで体育祭委員とか、ぜったいに邪推されるから。あたしはクラスでの地位を守りたいの。

けれど、どんなに気をつけて配慮してても、連日連夜、絢の家に入り浸っていた事実まではゴミ箱にポイできない。学校生活にもちょっとした乱れは生じてしまったりする。

例えばこんな一幕。

放課後、ガヤガヤとした教室から鞄を持って出てゆくあたし。友達と別れて委員会へと。その際、後ろから音もなく忍び寄ってくる影があった。

「わわっ、びっくりした。……え、絢？」

声をひそめて聞き返す。

「鞠佳、わすれもの」

「え？」

人気のない踊り場で紙袋を手渡される。中を覗くと、外用のスマホ充電コードが入ってた。

「あっ、忘れてた。気づかなかった、ありがと！」

「声大きい」

「むぐ」

慌てて口をつぐみ、密売人のように絢から紙袋を受け取る。さすがに配慮が欠けてた。こんなとこであたしたちに注目してたやつはいなかったみたいだけど……。

いや、絢と別れて歩こうとしたところで、物陰からバッチリ見られてた。悠愛と知沙希だ。

なんでそんな忍者みたいな感じで……。

「なーんか最近、あやしいよねえ〜」

「えっ、な、なにが？」

カツアゲ現場みたいに、ふたりに左右を取り囲まれる。

「不破となにかあったんでしょ。呼び出されたあとから、不破との雰囲気変わったよね」

「な、ないない、ないってば。あたしが絢と？　ハッ、そんなわけないじゃん！」

『あ〜や〜？』

「…………」

いくら慌ててたからって、あたしはバカだ。きっと気が緩んじゃってたんだろう。

「ごめん！　委員会あるから！」

「あっ、逃げた！」

「まりか、足速い！」

くっ、こんなことになるとは……。

いつまでもごまかしきれないだろうし、今度どうするか絢と対策を考えておかないと。

というわけで、絢とゆっくり過ごせるようになったのは、体育祭が終わってから。

決着の日まで残り66日の頃だった。

「おつかれー」

あたしはお互いの健闘をたたえ、オレンジジュースを掲げる。

いつものように、いつもの絢の部屋。もうあまりにもいつもすぎて、あたしの私物が置いてあったりする。

「いやー、ソフトボールの試合、あたしたち大活躍だったね。打てば長打、投げれば完封、歩く姿は百合の花、ってね。絢もやっぱスポーツ得意なんじゃん」

「たまたまだよ」

部屋着に着替えてリラックスした様子の絢と、制服姿のあたし。汗かいたからシャワーは浴びたかったけど、最近ずっと絢の家に行けなかったし。

なにもせずに一万円もらい続けるのも罪悪感があったので、学校の帰り、そのまま絢の部屋にやってきたのだ。

「最後の打席の逆転ホームラン、あれ狙ってたんでしょ」

「鞠佳が好投で粘ってたから。がんばりには応えないとね」

「えーなにそれ、あたしのためにがんばったってこと？」

冷やかすように下から見上げると、絢はあたしの頬をすーっと撫でる。ゾクッとして思わずのけぞった。

「とうぜん。それ以外、なにかある？」

「ぐぬぬ……」

内角に鋭い球を投げたつもりが思いっきり引っ張られてホームランを食らいました、みたいな状況にあたしは歯噛みする。相変わらず油断ならない相手だわ。

「それよりも、いいの？」

「なにが？」

「打ち上げ。クラスの子たちに誘われてたのに」

絢はぼんやりとした目で、グラスの水滴を指でなぞる。

なに気を遣ってんだ、こいつ。らしくもない。

さっきのお返しとばかりに、絢のつるつるの頬をつつく。

「『友達より私のことを選んでくれたなんて』とか思わないでよね？　ぜんっぜん違うから」

「……」

明確に否定すると、絢は黙り込んだ。今度こそ小悪魔顔で言い放つ。

「あたしと絢は勝負の途中なのよ。学校行事は仕方ないけど、友達の誘いに乗って絢から逃げるのは勝負を放棄してるってことじゃん。そんなのは、『ありえない』から」

「なるほどね」

あたしの挑戦的な発言に、絢はふっと笑う。

「鞠佳って、一生懸命で、ちゃんとまじめだよね。そういうところ、かわいいよ」

「なに、かわいいって……」

それからあたしに顔を近づけてきて。

「っ……んんっ⁉」

いきなり、あたしの唇を奪った。

アスタロッテのものとは違う、まったく手加減のないキス。容赦なくて、あたしの中身までもねぶるようなやつ。

さらにあたしをカーペットに押し倒す。垂れ下がった絢の髪があたしの鎖骨をくすぐる。肩を押さえられて、動けない。

「お利口さん。じゃあ、鞠佳の望みどおりにしてあげる」

「ちょ、ちょっと。誰が、望んでなんて」

キスで言葉を中断させられる。強制的に、スイッチを引き上げられるような感覚。体の芯がとろけてくる。絢の手はあっという間に、あたしのワイシャツの中に潜り込んできた。

「こういう風にされたかったんだよね」

「だから、違うって！」

「鞠佳は素直じゃないね」

絢の手が、上半身をまさぐる。絢の手が下半身を撫でる。

あたしはすぐに短い悲鳴を何度も連続して漏らし、喉の渇きを覚えた。

「なに、サカって……」

「久しぶりだもの、しかたないよね。だってほら、鞠佳も、すっごく濡れてる」

「うそだから……っ、そんなの……！」

　まるで所有権を主張するかのように、絢はいつもより乱暴な手つきで、あたしを無理矢理に果てさせた。それでもなかなかやめてくれなくて、チカチカと目の前に火花が散る。為す術なんてあるはずない。絢との一対一の行為は、球技大会なんかよりよっぽど手強くて、あんまりにも熱かった。

「はぁ、はぁ、はぁ……」

「……ふぅ……」

　いつの間にか半裸でベッドに寝かされていたあたしは、目を腕で隠しながら息を吸い込む。

絢はそんなあたしを見下ろしながら、満足げにベッドサイドに座ってた。

　その勝ち誇った顔が、ムカつくぅ……。

「また、汗かいちゃったじゃん……」

　非難がましく口を尖らせるけれど、意味なし。

「シャワー浴びてく?」

「んー……」

絢とうちはどちらも京王線沿線で二駅しか離れていない。だからまあ、我慢しようと思えば我慢できるんだけど……。

「……浴びてく」

やっぱ汗のニオイが気になる。てか、汗かかされたのも絢のせいだし、シャワーぐらい貸してもらってもバチは当たらないだろう。

家族に怪しまれるかもしんないけど、球技大会でがんばったから学校でシャワー借りたとか言い訳しよ。

「髪ゴムいる？」

「自分のあるから平気。バスタオルだけ貸してほしいかな」

「うん」

人んちでシャワー浴びるのが初めてってわけじゃないけど、絢の家だから緊張しちゃうな。

絢の部屋は二階で、お風呂(ふろ)は一階にあった。

脱がされた制服を持って階段を降りる。洗面所を過ぎ、脱衣所に立ち入る。

鏡も綺麗(きれい)に磨(みが)かれてる。絢の家はどこを見ても、掃除が行き届いている。ヘルパーさんとか雇ってるんだろう。

脱衣所で下着を脱ぎ、ちゃんと洗濯カゴの上に畳んでから、簡単に髪をまとめる。

浴室に入る。並んだシャンプーやコンディショナーを見て、いつも絢がここでお風呂に入ってるんだと思うと、なんか変な気持ちになってくる。

そういえばまだ、お互いちゃんと裸を見たことないんだよね。絢はいつも着衣だし、あたしも下はだいたいショーツの上からとかだし。

てか、絢の裸とかぜったいやばいでしょ。あいつどこも細くて引き締まってるし……。うわ、ぜったい見たくない。やだやだ。

ガラッと音がして、飛び上がってしまった。振り返る。

そこには髪をアップにした絢が「うん？」みたいな顔でいた。

もちろん全裸だ。タオルで隠してもいない。

「なんで⁉」

「汗かいたから」

「順番を待てよ！」

「裸より恥ずかしいところ見られてるのに」

「裸はまた別だから！」

だってスタイルとか、最近ちょっとぷにっとしてきてる部位とか、モロに見られるわけじゃん！　あたしが体を隠すように身を丸めてると、絢は笑う。

「大丈夫だよ、鞠佳はきれいだから」

ありがと（ウィンク）みたいな余裕とかないからな。

「あんたがどう思うかじゃなくて、あたしがどう思うかなのよ！」

絢はよほど慣れてるのか頭のネジがぶっ壊れてるのか、全裸でも堂々としてる。

いや、確かにあんたは脚も長いし無駄な贅肉ないし、人に見せられるご自慢のカラダなんだろうけどさ……。

ボディーソープの容器を手に取った絢が近づいてくる。

「じゃあ、洗ってあげるからそこに座って」

「なにがじゃあなの⁉」

絢はいつまでも恥ずかしがるあたしを見下ろしながら、あの圧迫感の強い笑みを浮かべた。

嫌な予感がする。

「だったらこう言ってあげるよ。——座りなさい？　鞠佳」

「うぐ」

絢との百日間の契約を持ち出されたら、もちろんあたしに選択肢はないわけで。あたしは置いてあったバスチェアに浅く腰かける。

目の前の鏡には、肉食動物みたいなレズと、今から食べられちゃいそうな心細い顔をしてる女の子がいた。

「……あんまり見ないでよ」

「そんなこと、約束してないからね」

絢は意地悪に笑いながら、手のひらにボディーソープを落として、あたしの体をまさぐり始めた。後ろから抱きしめられるような感じで、上半身を洗われる。

ぬるぬるの手が気持ちいいやら、くすぐったいやらで、あたしは顔をしかめた。

「なんでクラスメイトの女子高生に体を洗ってもらってんのよ……」

背中に、柔らかな絢のおっぱいがたぷたぷと当たって、ヘンな気分になってきてしまう。押しつけてこないでほしい……。

首筋、鎖骨、胸、脇腹（わきばら）、腰、背中。その優しいくせに遠慮のない指使いは、まるで舌で舐（な）められてるようだ。

「こうして触ってると、鞠佳って意外と胸あるね。着痩（きや）せするタイプかな」

「黙って洗ってよ、ヘンタイ……」

「はいはい……はむ」

後ろから耳を噛（か）まれた。反射的に腰がうねる。

「やめてよね⁉」

絢の両手がにゅるにゅると、今度はあたしのカラダの前部分を撫で回す。

「鞠佳って耳が敏感だよね。……どう、女の子の手、気持ちよくない？」

頭を溶かす粘液みたいな粘っこい声。あたしは声を出さないように指を噛んで耐える。

こいつめ、ちょーしに乗ってー……。

「…………」

「あ、そう。じゃあ次は下、洗うね」

「ちょっ、それは！」

絢の腕が強引(ごういん)に伸びてくる。股の間に入り込んできたその手は、泡でにゅるんと滑った。あたしは真っ赤(まっか)になって脚を閉じようと力を込めるが、ボディーソープまみれのカラダでは無駄だった。

絢は鏡越しに嘲(あざけ)るような笑みを浮かべる。

「どうしたの、鞠佳。洗っているだけだよ。これはなに？」

「やめてよ……」

「そんなに甘い声で拒絶されても、燃えるだけ」

「んっ……んんっ……っ」

あたしにできることは、声を押し殺して絢の興奮を煽(あお)らないことぐらいだったのだけど、それすらも絢は愉(たの)しみに変えてしまっているのだからもう手がつけられない。

「どう、鞠佳。裸で抱き合うの、きもちいいよね」

絢はあたしを後ろから抱きしめてくる。ボディーソープで摩擦(まさつ)のなくなったお互いの肌は、全身が粘膜になってしまったようにぐちゅぐちゅと音を立てて絡(から)み合う。

ふわふわに浮かび上がった頭はどっかにいっちゃいそうだったけど、あたしは必死になって首を振る。

「別に……きもちよく、ない……」

「そんな顔をしてるくせに？」

「あ……っ」

絢があたしの顔を持ち上げて、ぐいと鏡に向けさせる。

薄く開いた目からは、頬を紅潮させて息を荒げるいやらしい顔をした女の子が映っていた。

同級生の女の子に責められて、その子はすごく気持ちよさそうにしてた。

小さく開いた口からはピンク色の舌がちろちろと覗き、目はとろんと潤んでる。

全身はふにゃっと脱力してて、体重を後ろの子に預けてた。

それは自分のいちばん大切なものを後ろの子に委ねているような態度だった。

「うそ……あたし、こんな……」

「そうだよ。それが鞠佳だよ」

誰がどう見ても、こんなの、身も心も落ち切ってる。

「これでも、女の子同士なんてありえない？」

鏡の中の自分を突きつけられながらそんなことを聞かれる。ずるい。

絢を糾弾しようと目つきを鋭くしてみても、鏡のあたしはそれに応えてくれない。

まるでもっともっとと、せがむようにこちらを見るだけだ。

「……ありえない、もん……」

「そう。じゃあ鞠佳が認めるまで、いっぱいかわいがってあげるから」

「っっ！」

絢の手が激しさを増す。このままあたしを昂らせるつもりだ。いやだ。人の家の浴室で、しかも絢の家族も使うような場所で、そんなの、ヘンタイだよ。

けれど、あたしがどんなに我慢しようとしても、絢にはお構いなし。むしろぜったい楽しがってる。

「ここ、弄られるの好きだよね」

「好きっ……じゃ、ないっ……」

びくんびくんと体が痙攣する。絢の指先はあたしの触ってほしくないところばかりを執拗にかき乱す。その強い刺激が延々と続けられる。

波は次々と重なり合体して、すぐに一番高い波がやってきた。

「っぅ――――」

あたしはもうなにもわからなくなって、ピンと足を伸ばしながら波に流されないよう、絢の腕に必死にしがみつく。絢はそんなあたしを柔らかく抱きとめた。落ち着くまで、胸をとんとんと撫でてくれた。

「おつかれさま、鞠佳。がんばったね」

「……」

あたしは恨みがましく絢を見やる。指でも噛んでやろうかと思ったけど、絢があんまりにも優しく微笑(ほほえ)んでるので、頬を膨らませるだけにしてやった。

「言っとくけど……」

「うん」

「あたし……別に負けてないから……。これは女の子だからとかじゃなくて、単純に、絢が」

「私が？」

「……絢が、女慣れしてて、そういうのうまいって……それだけだから」

あたしの負け惜しみ百パーセントの発言に、絢はあたしを抱いたまますっと笑った。

「でも、こんなに簡単にイッちゃうの、鞠佳ぐらいだよ」

「……」

原因を押しつけられて、あたしは思わず黙り込む。悔しいけど、絢が言うならそうなのかもしれない。てか、そうなんだろうなって思う。悔しいけど。

胸の中に、黒いわだかまりのようなものが浮かぶ。経験豊富な絢は、きっとあたし以外にもたくさんの女の人に、こういうことをしてきたんだろうな、って。

なんだろうかこの気持ち。真っ白なワイシャツにコーヒーのシミが広がるような感覚。

そうだ、たぶんムカつくんだ。絢みたいな人の毒牙(どくが)にかけられた女の子たちが可哀想(かわいそう)で。

きっとそうだ。それ以外ないし。

「体の相性がいいんだよ」

「違うし」

「だったら、鞠佳がえっちすぎるんだ」

「違うから！」

声を荒げると、絢はきょとんとした。

「どうして怒ってるの？」

「……別に」

ぎゅっと強く抱きしめられる。

「鞠佳」

「なに」

「私に、恋に落ちた？」

あたしはシャワーの冷水をひねった。自爆だったけど、絢の「きゃあ！」という叫び声が聞こえたので、少しは胸が晴れた。


服を着直して、少し濡れた髪を乾かした後で、絢から新たな指令が下った。

「来週の土曜日、空けといて」

「また土曜日？　別にいいけど」

駅までの短い帰り道。絢は家に行くと必ずあたしを駅まで送ってくれる。その抜け目のない優しさは、きっと今までたくさんの女の子たちを泣かせてきたんだろう。

「私とデートしようよ」

「……嫌な予感がする」

「詳しくはあとで連絡するから。こないだみたいに、ちゃんとオシャレしてきてね。かわいくだよ」

「はいはい」

ぷらぷらと適当に手を振って別れる。どうせろくでもないことに付き合わされるのだ。仕方ない。遊ぶお金目的のあたしは、好きでもなんでもない相手に一日一万円で自分の体を売っているのだから。

ＩＣカードをタッチして改札を抜ける。

予感を覚えてとか、そんなロマンチックな理由じゃない。振り向いたのは、ただなんとなくだ。

すると、絢はまだ改札の前にいて、あたしの後ろ姿をじっと眺めてた。あたしの苦手な、あの熱っぽい視線。

気づかなかった。もしかして、今までずっと彼女は、あたしを最後まで見送ってたのかな。

小さく手を挙げる。絢はほんのり笑って、手を振り返してきた。

なんだろう。もやもやが強くなる。

ホームに降りて電車に乗った。ひとり、窓に映る自分の顔を眺める。

浴室の鏡に映ってた顔を思い出して、頬が熱くなった。

そういえばあたしは、絢についてなんにも知らない。何度も部屋にあがったのに、彼女が今誰かと付き合っているかなんて、考えたこともなかった。

……別にそんなの、どうだっていいし。

そう、あたしと絢の勝負には関係ない。絢のプライベートなんて、知る必要はない。

「……だって、女同士なんて、ありえないんだから」

あえぎ声でかすれたあたしの喉からこぼれた言葉は、なんだかビターな味がする。

その日の夜、ベッドで毛布に包まれてたあたしは、ふいに気づいてしまった。

「……これ、絢の匂い」

香るボディーソープは、いつも絢が身にまとっていたそれと同じで、枕に顔を埋めながらあたしは思わず深く息を吸い込んでしまう。

絢に浴室で抱きしめられた温度。全身をまさぐる絢の指の強引さ。意地悪い彼女の笑み。

そしてキスの感触――。

それらが一気に思い浮かんだ。

「なんなの、もう……。あたしの部屋までついてくるとか、一万円で欲張りすぎ……」

あたしは苦手な女の子のことを考えながら、目を閉じた。

なかなか眠りにつくことができなかったのはきっと、体育祭の興奮が体に残ってるからだ。ぜったいそうだ。

そう思わないと、いけない気がしたのだった。

決着の日まで残り61日となる、六月の土曜日。あたしたちはまた駅前で待ち合わせをした。今度はお昼前だ。

オーダー通り、14・5ミリのピンクベージュのカラコンを入れた、とびきりガーリーでかわいい格好をしてきてやると、絢は嬉しそうに「かわいいね」と褒めてきた。

嬉しいとかないからね。あたしはかわいいんだから当たり前でしょ。てか、自分こそキレイめコーデで、あたしより目立ってるくせに。

「きょうはどこ行くの？」

「渋谷に」

「あ、そ」

「詳しく聞かないの？」

「デートなんでしょ」

「そうだね」

スタスタと歩き出すあたしの後ろを、絢が楽しそうについてくる。絢はきょうもスカート姿だった。大人びたベージュのフレアスカートがよく似合ってる。

渋谷に着くなり、絢があたしの手を取る。さすがにそれは予想外だった。

「ちょっと、まだお昼前なんだけど……」

「デートだったら、手ぐらい繋(つな)ぐよね」

「ふたりでどこかに遊びに行くって意味で言ったんじゃないの？」

「言ったんじゃないの」

恋人繋ぎを離さず、絢は人混みの中でいつもどおりの口調で言う。

「きょうはね、鞠佳に恋人同士のフリをしてもらうよ」

「……なによそれ」

「第四段階は実践ってこと。いい？　きょうの私と鞠佳は、付き合って一ヶ月目の初々しいカップルだから」

隣で無茶(むちゃ)なことを言い出すクラスメイトに、あたしは首を振る。

「ちょっと、なに言ってるかわかんないんだけど……それってあたしもレズってこと？　マンガにあった百合コンセプトカフェのやつみたいな？」

「まあ、そういうことかな」

ようするにごっこ遊びか。絢の彼女になったつもりで一日過ごせ、と。

そのためにわざわざ、知り合いのいない都会にやってきたんだろう。

「……わかった。あたしはどうすればいいの？」

「どうもこうも。普段通りの鞠佳でいいよ。もちろん、付き合ってるって設定を守ってくれればね。それとも、ハニーとかって呼び合う？」

「わかったわ、絢」

絢は肩をすくめた。

「それじゃあまずはお昼にいこうか。パンケーキのお店、土曜日だからちょっと混むかもしれないけど、あんまり混んでたら他のお店にしよう」

あたしの手を引く絢の笑顔は、いつにもましてキラキラしてた。

メイクも、夜の新宿から、昼の渋谷用に切り替えてるせいで、まるで雑誌に載ってる読モみたいなスーパー陽キャ顔だ。

「鞠佳とこうやって、どこかに出かけたかったんだ。いつも会うのはお部屋だから。バイト先には連れてったけど、あれって私にとってはただの日常だもの」

「きょうはなんだか楽しそうね」

「楽しいよ」

ギュッと握る手に力が込められた。

「当たり前だよ、鞠佳とデートなんだから」

そのあどけない笑顔を見て、胸が苦しくなった。なんでかはさっぱりわからない。

ただ、もしかしたらあたしは。

もう、不破絢のことが、そんなに嫌いではなくなってしまっているのかもしれない……なんてことを、思ってしまった。

勘違いしないでほしい。別に落とされたわけじゃなくて。学校っていう立場さえなければ、あたしは絢に反発理由はそんなになくなっちゃうし。

それにあたしは学校でも友達多いし、誰とでも話を合わせられるタイプだから、絢に引きずられてしまってるんだろう。ただ毎日会っていれば否応もなく仲良くなってしまう。これはただ、それだけの話だ。

「ああもう、さっさと行くからね、絢」

「はいはい」

ともあれ、久々の渋谷だ。

坂の多い街を、ぶらぶらと歩き出す。事前に絢が色々調べてきてくれたおかげでデート自体は不覚にも楽しめてしまった。

二十分待って入った有名店は大当たりで、ふわっふわのパンケーキは生地からクリームからなにまで地元で食べるそれとは違ってた。舌の上でとろけるような甘さだ。

「えっ、パンケーキ、これすごいおいしくない？」

「やっぱり、雑誌に載ってたお店はちがうね」

パシャパシャとインスタ用の画像を撮る女の子たちだらけのお店で、あたしたちもその中の一員となってフォトをゲットした。

「絢はインスタとかやってないの？」

「お店用のはあるけど、個人では別に。見せる相手もいないし」

「冷めてんのね……。ま、いいや、メープルシロップおいしい〜〜」

ん〜〜、とほっぺに手を当てて大げさに幸せなリアクションを取ってると、そんなあたしを絢がパシャリと撮影した。

「な、なによ」

「かわいかったから、つい」

「むう」

ほくほくとした顔でスマホに目を落とす絢。この独特のノリとマイペース加減にも、ようやく慣れてきた。

ま、そんなことはありつつもパンケーキは絶品で、あたしは大満足だった。

あたしも絢も笑顔で店を出る。絢の晴れやかな笑顔は割とレアだった。

「次はどうするの？」

「鞠佳がよかったらだけど、お買い物に付き合ってほしいかなって」

「はいはい、どこへでも行きますよ。最初からそのつもりだったからね」

「ありがとう。だから好きだよ、鞠佳」

ドキッとした。思わず足が止まる。

絢があたしに『好き』って言うのを聞いたのは、初めてだったから。

「……恋人同士のフリって、そこまでしなきゃいけないの？」

眉根（まゆね）を寄せて問うと、絢はあたしと手を繋ぎながら「ううん」と首を横に振る。

「私が今なんとなく、好きだなって思ったから、言っただけ」

「あんた、誰にでもそんなこと言ってるんでしょ」

「どうしてそう思ったの？」

「……なんとなく」

あたしは子どもっぽくそっぽを向く。

だけど手は繋がってるから、ふたりの距離は変わらない。

絢もなにも言わず、お店まで歩いていく。その無言すらも居心地悪くないのが、なんだか妙に落ち着かなかった。

道を歩いてると、雰囲気のいい雑貨屋に通りかかる。ぼうっと眺めてると絢がまるであたしの考えを読んだみたいに「入ろうか？」と聞いてきた。

くいくい、と車のハンドルを切るように手を引っ張って意思表示。

「ちゃんと口でいいなよ」

「ふぁーい」

「もう」

じゃれ合うような会話をしながら、お店を覗く。

この店のオリジナルブランドなのか、他では見たことのないデザインの小物が所狭しと並べられていた。なのに乱雑ではなく整頓されてるように見えるのは、店員さんの陳列センスの賜物(たまもの)かな。

あたしは手のひらに収まるサイズの小物が好きだ。キャンドルとかアロマとか見るたびに買っちゃう。悠愛たちには『だからいつも金欠なんでしょ』と言われてる。バイト代を稼ぐようになって、誰にも遠慮する必要がなくなっちゃったからね……。

さすがにお店の中は狭いので手を離して自由行動だ。店内をぐるりと回ってから、お目当ての棚の前にやってくる。目的地で絢と合流。

「私、アロマってやったことない」

へえ、意外。あんなにオシャレなお店に勤めてるのに。

「あたしもディフューザー持ってるわけじゃないから、芳香浴とかはやったことないけど。でも寝る前にハンカチに一滴垂らして、枕元(まくらもと)に置いとくとか。あるいは、枕カバーにシュッと一吹きするとかでも、なんだか気持ちいいよ」

「ふうん、鞠佳って匂いに敏感だよね。私のボディーソープ使ったときも、肌を嗅いでいたし」

「そ、そんなのしてないし！」

バレてた。お店の中だから声量低めでキャンキャン噛みつくが、絢はまったく聞いてない。

「じゃあ、ふたりで同じものを買うっていうのは、どうかな」

「え……なんで？」

「恋人っぽくない？」

流し目でいたずらっぽく微笑む絢。理由部分はスルーして、あたしは腕組みして眉根を寄せた。

「でも匂いって趣味がはっきりと分かれるよ。あたしが好きなのが、絢が好きとは限らないし。それぞれ好きなの買ったほうがよくない？」

「そうだね、じゃあ好きなの買おうか」

絢はあっさりと身を引いた。それがいい。あたしは匂いを嗅ぎ分けながら、真剣に小瓶を選ぶ。

今回はティートリーにした。ユーカリに似た優しい香りだけど、それよりもさらに清潔感が強い感じ。こういうの、柑橘系と混ぜてお肌に塗っても気持ちよさそうだ。

横からすっと細い指が伸びてくる。絢があたしと同じティートリーのアロマを取っていた。目が合うと、得意げな顔をされる。

「私もこれがいいと思ったんだよ」

「言い訳が子どもか！」

他にも色々と目移りしつつも、レジに向かう。

「あら、いいですね。お揃(そろ)いですか？」

店員さんに同じものを持ってるのを突っ込まれる。ええまあ、と返すと、絢が後ろから爆弾を投げつけてきた。

「恋人の好きな匂いを、私も好きになりたくて」

こ、こいつ！

ほら、お姉さんだってびっくりしてるだろうが！

「あらあら……それは、素敵ですね」

しかしそこはさすが渋谷のショップ店員さん。すばらしいアドリブを発揮して、あたしたちの関係をおだててくれた。

絢は調子に乗って、あたしに「ね、鞠佳」と微笑みかけてくる。あたしは引きつった愛想笑いを浮かべるのがやっとだ。

あまりにも恥ずかしくて、背中に汗をかいてしまう。

「……絢」

お店を出たところで低い声を出すものの、絢は素知らぬ顔をしてた。

「きょうは恋人同士、だよね？」

「それってこういう意味だったのね……。すっかり騙された……」

「人聞きが悪い」

絢があたしの手を取る。先ほどとは違って、指先が触れ合っただけでドキッとしてしまった。慌てて手を離したあたしに、絢は『どうしたの？』と目で問いかけてくる。

「……な、なんか、急に緊張してきちゃったっていうか」

恋人同士のフリなんて冗談の延長線だと思ってたのに、実際はそうじゃなかった。誰もあたしたちを知らないはずの渋谷で、通りを歩く人全員から『あいつらは恋人同士だ』と指差されてるような気分だ。

絢のことなんてぜんぜんそんなんじゃないし、なんとも思ってないっていうか、むしろずっと苦手だったのに。

「鞠佳、顔まっかだよ」

「うっさい……」

顔を隠して歩きたくなってきた。

「女の子と恋人同士って思われるの、どういうきもち？」

「そんなの嫌に決まってるでしょ。あたしはノーマルなんだから……」

「でもノーマルな子をこっち側に引きずり込むのって、興奮するよ」

「……ヘンタイ」

その罵倒が絢のダメージにならないことはもう百も承知だ。そもそもこいつは百万円であたしをそっち側にしようとしてるわけだし。

なので、嫌がらせにしても、ひとひねり加える必要がある。

「……あたしね、今まで恋人っていたことなかったの」

「そうなんだ、意外だね。鞠佳モテそうなのに」

「んーなんだろ。いや、一緒に遊びに行ったりする人はいたけどさ、特定の相手はいなかったっていうか。ま、そんなんだからさ、フリにしても絢が初めてってわけ」

「光栄だね」

絢の手をギュッと引いて、ニッと歯を見せて笑う。

「ということで、きょうは楽しませてもらおっかなあ？　ねえ、恋人サン？」

その言葉はさすがに予想外だったようだけど、絢はまんざらでもない笑みを浮かべる。

「いいよ。きょうの鞠佳は、私のお姫様だね」

ふっふっふ。かかったわね、絢……。

言質は取ったわ。これでさんざんワガママを言わせてもらおうじゃないの。

かわいい恋人のワガママだもの、叶えてくれるわよねえ？　ああ、あたしってなんて悪女なのかしら！

　いっぱい迷惑をかけて、絢を後悔させてやる。

「ねえ絢さん？　あたし、クレープ食べたいんだけど！」

「なんか企んだ顔してる……。いいけどね」

　六月の陽気は、もう十分初夏といってもおかしくはない天気。マーケットスタンドのいちごとバナナのチョコクレープを買って、ふたりで半分こした。

　お腹はけっこういっぱいだったけど、絢にクレープを買ってもらうというそのシチュエーションが心地いい。まるで子どもの頃、お父さんに好きなものをねだって買ってもらったときみたいに甘やかされて、思わず頬が緩まる。

「服もいいけど、先にカラオケいこうよ。絢の歌、聞いてみたいな」

「えー、自信ないなあ」

　困ったように頬をかく絢は珍しくて、あたしはニヤリと笑いながら絢の手を引く。通りの人を軽々と避けて、目立つカラオケ店に向かう。

　今度はあたしがリードする番。手慣れた感じで一時間頼んで、狭くて薄暗い個室に立ち入る。まるで自分の部屋に絢を案内したように、先に座る。

「絢はどんなの歌うの？」

居心地悪そうに座る絢は、ぼんやりと首を傾げた。

「私は最近のよくわからないんだ。お店でもよくかかってるのは洋楽だからさ。鞠佳の歌うのを聞いてるよ」

「知らない曲でもいいってば。てか、絢だってあたしの歌うやつ知らないでしょ？」

リモコンでピッと最近気に入ってる曲を入れる。立ち上がって軽く体を揺らしながら、身振り手振りつきで歌い出す。

「〜〜〜♪」

歌は好きだ。おっきな音を全身で浴びて、それに負けじと声を張る。

中高となんとなくの暇潰しとして選ばれることも多かったカラオケだけど、あたしは明確にカラオケが好きだった。昔はテレビっ子だったからかもしれない。

絢のことも気にせずひとりで楽しんでると、絢はまだ自分の歌を入れてなかった。ぽふっとソファーにもたれこんだあたしをぼうっと眺めてる。

「あれ、歌わないの？」

「いや、ていうか」

「？」

絢はちょっと照れてた。

さては暗がりで密着してるからか、と思ったんだけど違った。

「……かわいいね、鞠佳」

あたしは半眼で絢の顔を覗き込む。

「そんな溜めてまで言うこと？　普段からめっちゃ言ってるじゃん」

「それとは違うっていうか、なんか……。かわいい格好してかわいい曲を歌う鞠佳、ダブルでかわいいっていうか……。なんだろ、やばめ」

「はあ」

なにかが絢の琴線に触れたようだ。よくわからないけど褒められてるようなので、受け取っておこう。

曲を選んでる間に店員さんがドリンクを運んできた。メロンソーダに口をつけつつ、続けて次はもう少し男受けしそうな鉄板のアイドルポップスを入れてみる。

「それもすごくかわいい」

なるほど、絢の好みはここらへんにあるのか。

歌い終わって隣に座る。

「絢もそういうの歌えばいいじゃない」

「私じゃなくて、鞠佳が歌うからかわいいんだよ」

そうかなあ。絢が歌ってもけっこう似合いそうだけど。普段美人系なのに、そのギャップがウケそうっていうか。

「うーん。でも確かに、男性陣にチヤホヤされてる絢ってまったく想像できないかも。歌い終わった後、すごい冷めた顔でスマホいじってそうだし」

「鞠佳の中の私って、コミュ障がすぎない？　私だって、その場にふさわしい振る舞いぐらいやればできるよ」

「クラスに友達いないくせに……」

「それで困ったことないから。たまに移動教室で、どこに行けばいいかわからなくなるけど、なんとかしてきた。最悪、先生に聞けばいい」

「やめて、悲しくなってくるから」

あの女王みたいな顔した不破絢が、どこに行けばいいかわからなくてオロオロしている姿を想像すると、あたしの株までまとめて引きずり下ろされそうだ。

絢にはもうちょっとあたしの不破絢像を維持する努力をしてほしい。

そんな絢は、隣に座るあたしのふとももに手を置いて、顔を覗き込んできた。

「ね、鞠佳。キスしてもいい？」

「えー？　唐突なんだけど……」

まあ、これはこれで、あたしの不破絢像と矛盾してないけど……。

「かわいい鞠佳の歌と踊りを見てたら、つい」

「別にいいけど」

許可を出した途端にちゅっとキスをされた。あたしは続きを口に出す。

「代わりに、絢も歌ってよ。絢の歌、聞きたいし」

リモコンを押しつける。

渋々という感じで絢は曲を入れた。古い洋楽の名曲だ。ＣＭなどにもよく使われてるから、もちろんあたしも知ってる。

絢は「笑わないでね」とか「カラオケ初めてだから」とかさんざん予防線を張っておいて、ちゃんと上手に英語の歌詞を歌いきったので、なんだよやるじゃん、と思う。

「本当に、絢って外さないよね、そういうの……。大幅イメージダウンするようなこと、ないわけ？」

「私、鞠佳からさんざんヘンタイ呼ばわりされてるんだけど」

「それはただの事実でしょ」

あたしに褒められて気をよくしたのか、絢はその後も何曲か歌って、あたしたちは一時間延長してからカラオケを出た。

絢が「またいこうね」と楽しそうにしてたので、「いいよ」と、ついつい言ってしまってから思わず考え込んでしまった。ちょっと前は、絢とふたりでカラオケに行くなんてぜったいありえないって思ってるはずだったのに……。

「ひょっとして、あたしっていいやつすぎる……？」

「鞠佳はいい子だよ」

「やっぱり……だから絢みたいなやつと、ついつい楽しんじゃうんだ……」

「もっともっと堕落させちゃうから、まかせて」

絢は自信ありげに胸に手を当ててた。実際、えろいことも、新宿のバーも絢に教えられてるわけだから、あながち間違いでもなかった。

その後は定番の109をウィンドウショッピングしたり、服を買いに行ったり。絢の見立てで試着して、その後はあたしの見立てで絢が試着して。やっぱりそれなりに楽しい時間を過ごしてしまった。

なに着ても絢が「かわいい」とか褒めてくるもんだから、あたしもどんどん調子に乗っちゃったし……。まったく、全部絢のせいだ。

ワガママばっかり言ったはずのあたしにも優しくて、あたしのしたいことを全部やらせてくれて、それで嫌な顔ひとつしないで。

結局、あたしの作戦は失敗に終わった。

ただ絢の真摯(しんし)な優しさを証明しただけのことだった。

「絢さあ」

きょうは暗くならないうちに解散という約束だった。

夕食前のほどよい時間。渋谷駅に向かう途中、わずかな恋人時間の残り香が漂(ただよ)う。

どうしても聞きたかったことを絢に尋ねる。

「なんであたしに、そんなに優しいの？」

確かにあたしはかわいいし、オシャレだし、空気を読むからどこにいてもそれなりに働くけど。でも、絢があたしに優しいのはそんなのとはぜんぜん違う理由な気がした。

「優しい？　私は鞠佳をお金で買ってるんだよ。優しいわけないよ」

絢のまるで自嘲するような響き。

「……そうかな、あたしはそうは思わないけど」

「それは鞠佳が優しいからじゃないかな」

そういう風に言うけどさ。あたしはきょう楽しかったよ。

絢はあたしのワガママを聞いてくれて、あたしはいつもよりずっと気を遣わなくて済んだし、ずっと楽だった。

でもそれって、絢があたしのことをいちいち許してくれてたからでしょ。あたしの分、全部絢が気を遣ってくれたから。

立ち止まる。手を繋いでるから、絢も同じように立ち止まって、あたしを見る。

あたしはじっと絢を見つめている。けれど決して、口には出せない。

あたしにもプライドがある。出せるわけがない。

「…………」

「……？」

わかってるんだよ。

こないだ絢が高めのヒール履いてたから、あたしもきょう合わせて履いてきちゃってさ。でも履き慣れてないから、歩くのゆっくりめになっちゃってたけど。

そんなあたしに絢が気をつけてくれて、ゆっくり歩いてくれてたりしてたの。

転ぶと危ないからって車道側は必ず絢が歩いてくれてたり。人混みでは率先して、ぶつからないように盾になってくれてたこと。

あたしはただ楽しんでただけなのに、絢は百点満点の恋人を演じてくれてた。

絢はあたしのことをどう思ってるの？　トクベツな子？

それとも、ただのお金持ちの遊びで……誰にでも同じようなことをしてるの？

あたしにはわかんないよ。

絢はあたしを、どうしたいの？

「……鞠佳？」

視線だけじゃ、想いは届かない。届かなくてよかった。

「ううん、なんでもない。ごめんね、たくさん歩いて足が疲れちゃったんだ。早く帰ろ。明日もまた、絢の家にお邪魔しないとだし」

「……うん」

作り笑顔を浮かべるあたしに、絢は浮かない顔でうなずいた。

隠し事してるなんてバレバレ。

でも、だって、仕方ないじゃん。あたしと絢は恋人未満、友達未満の関係なんだもの。そんな絢に、なんにも言えるわけなんてない。

他愛（たあい）のない話をしながら電車に乗って帰る。先に絢の降車駅が近づいてきて、別れ際に絢は雑貨屋さんで買った包み紙を掲げながら言った。

「鞠佳。今夜、アロマに包まれながら寝るよ。だから鞠佳も、一緒に寝よう」

あたしは苦笑いしながら、手を振った。

「……気が向いたらね」

「それでじゅうぶん。きょうは楽しかった。ありがとうね」

「うん、ありがと」

絢はホームに残ったまま、あたしを見送る。恋人時間の終わりは、メープルシロップみたいに甘ったるくはなかった。

憂い顔のあたしを電車は連れ去ってゆく。

きょうは一日中楽しかったはずなのに、どうしてこんな気持ちになっちゃうんだろうか。窓ガラスにため息。胸のもやもやがジンジンとうずく。

問題はたぶん、絢があたしをどうしたいか、じゃないんだ。

きっと本当は、あたしが絢をどうしたいか、なんだ。

決着の日まで、残り61日。あたしはあと二ヶ月で、どんな結論を導くんだろうか。

とりあえず、今言えることはひとつだけ。

「……今夜はアロマ、ぜったいに焚(た)いたりしないからね、絢」

それだけは、負けた気になるから、ぜったいに。


翌日の日曜日、SNSチャットでの連絡があった。

『ごめんなさい、きょうは用事が入りました。お金は引き続きお支払いいたしますので、約束はキャンセルさせてください』

三十分ぐらい早く家を出てしまったあたしは、それを受け取った時点ですでに絢の家の近くに来ちゃってたのである。

「文面、硬いなあ」

あたしは苦笑いしながら、せっかくここまで来たんだからと絢の家に向かう。どうせならひと目見て、文句でも言って帰ろうと思ったのだ。

ぱらぱらと雨が降ってた。梅雨(つゆ)の天気は不鮮明で、まるであたしと絢の関係みたいだ。お気に入りのドット柄の傘を広げて歩くあたしは、どうしてだかきっと浮かれていたのだろう。

たぶんそれは、昨日お姫様扱いされてしまった弊害だ。

ちょっとぐらいのワガママ、絢なら許してくれる、認めてくれる。絢は怒らないで、あたしに困った顔をしながらも少し話をしてくれる。

そんな風に、あたしは甘えてしまってたんだ。

絢の家の前に、人影があるのに気づいた。

それは女の子だった。

かわいらしい椿色（つばきいろ）の傘を差した彼女は、ドアの前で誰かを待ってた。

テレビの中みたいに綺麗な金髪のツインテール。たちまち広がる非日常感。トウモロコシ畑が似合いそうだった笑顔は、今は期待感に上気してた。

見覚えがある。

絢のバイト先で会った、あのとても美少女なハーフの女の子だった。

名前は確か、アスタロッテ。心臓をノックされたような気分になった。

そりゃそうだ。絢のバイト先で会ったんだから、絢と知り合いなのはなにもおかしくない。

むしろ理にかなってる。

ドアが開く。慌てた様子の絢が出てきて、彼女を家に招き入れる。金髪の少女は少しも遠慮することなく、まるで通い慣れたおうちのようにドアの奥へ消えていった。

その様子をあたしは、立ち尽くしたまま、眺めていた。

「あー……」

漏れる声はしとしとと降る雨にかき消されて、どこにも届かない。

きっと気が動転していたんだろう。なんで動転しなきゃいけないのかはともかく、そこからのあたしの行動はなかなかにキモかった。

通りをぐるっと回って、絢の部屋がある窓を見上げる。このときのあたしがなにを考えていたのか、実はよくわからない。ほとんど無意識の行動だった。

その中でも『あの子とはどんな関係なんだろう？』ぐらいは思っていたんだろう。じっと眺めているうちに、絢は自分の部屋のカーテンを引いた。それ以後、特に動きはなかったけど、あの子を自分の部屋に入れたんだな、ってことだけはわかった。

五分ぐらいはそうしていただろうか。さすがに自分イタいな、って思えるぐらいには意識も回復したので、帰路をたどる。

休みなら休みでやることいっぱい溜まってるし。別にいいし。

そもそもあたしは絢のことをなにも知らないんだから、あいつが誰と付き合っていようが、あたしには関係ないことだ。

あたしと絢は、百万円をかけた勝負を挑んでる最中の敵同士ってだけで、それ以上でもそれ以下でもなんでもない。

アスタロッテの笑顔をぼんやりと思い浮かべる。あの子はとってもかわいくて、綺麗だった。

もし同じクラスにいたら、みんなあの子を好きになっちゃうだろう。

月とスッポンなんて表現は古いけど、あたしみたいな、必死にクラスの人気者を気取ってる人種とはぜんぜん違う。

あの子の輝きは、本物だった。本物の、トクベツだ。

「はー」

雨模様の空に向かって、ため息をつく。

「絢のバーカ」

それはきっと、こんな雨の中で無駄足をさせられた恨み節だ。

だって、それ以外の理由が、あるはずないんだから。

ただ、そのまま家に帰る気にはなれなくて、あたしは悠愛と知沙希とのグループチャットに、文面を流す。

『ね、きょう暇？　どっか遊びに行かない？』

駅のホームで黒い空を眺めてるところで、返信があった。それもふたり同時に。

『ごめんムリ〜』

『わたしも。また誘って』

はー。再び深いため息。どうせふたりで遊びに行ってる最中だ。あたしの付き合いが悪いからっていうのは棚に上げて、渋い顔をする。

このふたり、最近いっつも一緒にいるけど、まさかデキてるんじゃないでしょうね。

「ほんっと、キモい。女同士とか、マジでそんなの、ぜったいに……ぜったいに」

ぜったいに。

その後に、続く言葉を。

あたしは言えなかった。

誰も聞いてないし、ここにはあたしひとりしかいないのに、言えなかったんだ。

第四章

登校するや否や、クラス前の廊下で捕まった。絢だ。

朝からアップで見るには刺激の強い美貌で「きのうはごめん」と謝られる。

あたしはへらへらとした笑顔で「別に、気にしてないし。むしろただで一万円もらえるとかラッキーすぎ」と答える。うん、そこにうそ偽りはまったくない。

その態度にホッとしたのか、絢はいつも通りの憎たらしい顔に戻って。

「ひとりのときは、ちゃんと宿題だしてたよね」

「もちろん、少しずつ読んでるよ、借りたマンガ。でもあたしって読むの遅いから、休み一日かけても数冊が限度かなあ。いやーしょーがないよねー」

「……まったく」

廊下の立ち話もそろそろ他の人に怪しまれるだろう。お互いちゃんと学校ではテリトリーを守らないと、怪しまれちゃうからね。

立ち去ろうとした絢を呼び止めて、そういえば、となにげない口調で尋ねる。

「昨日はどうしてキャンセルしたの？　なにか用事？」

絢の態度になにも不自然なところはなかった。少なくとも、あたしの目ではわからなかった。

「ああ、うん。ちょっとね」

あたしは切ないまでに空気を読んで、あっけらかんと笑った。

「そっかー。でも、ああいうドタキャンはやめてよね。ないならないで、あたしだって遊びの予定入れたいんだから」

「あのね、鞠佳の一日はもともと私のものなんだよ」

「はいはい、わかってますって」

それきり、別れた。

学校のあたしと絢は、ただの他人。どうしてこんなことをしてるのかその意味もわかんないけど、でも学校はあたしにとって大切な居場所だから、きっと変えたくないんだと思う。

「はー」

あたしは胸を抑えて深呼吸。自分を納得させるための言葉を探して、つぶやく。

「そら、一日一万円のバイトなんだから、しんどいことだってたまにあるよねー」

なにがしんどいのかは、自分でもよくわかんなかったけど。

胸がざらざらする。なにこれ。なんで？　ぜんぜんわかんない。

「お、最近付き合いの悪いまりかじゃないですか」

「彼氏できたくせにナイショにしてる鞠佳さんじゃないですか」

「いやできてないから」

学校帰りのスタバ。キャラメルラテを注文して席に向かうと、そんな小芝居で出迎えられた。悠愛（ゆめ）と知沙希（ちさき）とあたしは仲良しである。

きょうも絢からの『ごめん、用事がある』とのお言葉で解放されたあたしは、久々に友達と放課後を楽しむことにした。

グループのいじられ役兼ムードメーカーの悠愛と、グループの辛辣（しんらつ）なツッコミ担当の知沙希。ふたりの共通認識は『あたしに彼氏ができた』ということらしい。

「ちさきさん、彼氏のできた女の特徴としては？」

「付き合いが悪くなる。髪型が変わる。香水が変わる。お金遣いが変わる。ファッションの趣味が変わる、などなど」

「多感な高校生なんだから、趣味ぐらい変わるっての」

うめくも、ふたりは聞いちゃいない。

今はあたしがどんな彼氏と付き合ってたら許せるか、どんな彼氏だったら別れさせてやるか、みたいな話をしてる。めちゃくちゃ余計なお世話だけど、一応友達想（おも）いのふたりではある。いや、野次馬（やじうま）根性か？

「まりか、まさか本気でサポやってるんじゃないよね？？」

「やってないし」

しれっとウソをつく。やってるんだよなあ。同じクラスの女子高生相手に。

知沙希はふうんとあたしをジロジロ眺める。ウソを見抜くと評判の知沙希アイと目を合わせないように、キャラメルラテをずずっとストローですする。

悠愛はへらっと笑って。

「ま、やってたらもっとお金持ってそうな顔してるか」

「誰が貧乏顔だ誰が」

ここにまさか絢より失礼な女がいるとは。悠愛はあははと笑う。話題変えよう。

「サポの話はいいよ。それよりなんかないの？　今盛りあがってる話題みたいなの」

「んー。あ、まりか最近不破と仲いいよね」

それ、話変わってないんだよねえ……。

あたしは髪を耳にかけながら、澄まし顔で「そう？」と聞き返す。闇雲に否定するより、噂の出処を確認するほうが先決だ。

「いやだってさ、たまに廊下で話してたりしてない？　不破って友達いないから、そういうの目立つし」

確かに。といっても、ごまかすための言葉は、さすがにあらかじめ用意済み。

「不破とあたしって同じ方向の電車だったんだよね。こないだなんとなく帰りが一緒になってさ。クラスメイトとなんにも話さないのも不自然だし、ちょっとお喋りしただけだよ。その流れで、学校でもたまに話すぐらい」

そう、それだけの関係。

「ほら、あたしって空気読めるから、誰とでもすぐ仲良くなっちゃうでしょ？　だから、もしかしたら不破にも気に入られちゃったのかもね」

冗談めかして笑う。

雨の日、かわいい女の子を家に招いていた絢の姿が、まぶたの裏に浮かんだ。

あたしは小さく首を振る。あたしと絢の関係なんて、その程度のものだ。

「ふーん……。不破って遊んでるって噂だし、なんか夜の新宿で働いているとか聞いたことあるから、気をつけたほうがいいよ。まりか、意外としっかりしてないんだから」

「しっかりしてないとか、悠愛に言われるとさすがにやばいなって思っちゃう！」

バーで働いている情報は漏れてるらしい。至って健全なお店なんだけど、『夜の新宿』って響きがすごいパワーあるし、噂になるのも仕方ないだろう。

「でも不破って高校に入ってから大人しくなったよ」

「そうなの？」

「わたし不破と同じ中学だったからさ」

知沙希がさらっと言った。

えっなにそれ、絢の昔話めっちゃ聞きたい。でもここであたしが絢に興味もってるのバレるとよくないだろうか。いや、でも気になる……。

細心の注意を払いつつ、なるべく素っ気なさそうに尋ねる。

「へー、不破って中学はどんなやつだったの？」

「んー、今よりはもうちょっとクラスと仲良くしてたかな。部活もやってたし。派手で目立つ美人だったから、人気者だったよ。それも不破事件が起きるまではだけど」

「なんかめっちゃ気になるワード出てきたんだけど」

なに事件って。絢、なんの事件起こしたの。

「あーそれ、前にちさきに聞いてすっごい面白（おもしろ）かった。刃傷沙汰（にんじょうざた）になったやつでしょ」

「なんであたし以外は知ってるんだ」

「不破ってテニス部に入ってたんだけどさ、二年のときに三年の先輩の彼氏を取っちゃったとかで、その先輩がブチギレちゃってさ。ハサミ持って二年の教室まで押しかけてきたんだ」

「やばぁ」

あたしは思わず身を乗り出す。なんてバイオレンスな話だ。

「結局、先輩の彼氏が不誠実なやつで、彼女がいるにもかかわらず不破にコクったから、不破にとっては完全にとばっちりだったんだけどさ」

「それでそれで？」

「教室に飛び込んできた先輩、叫んだらしいよ。『この泥棒猫！』って」

昭和かよ。今聞くと笑い話だけど、現場にいたらぜったい笑えない。

「先生も棒立ちで、生徒も怯えてる中、奇声をあげる先輩が飛びかかってきてさ。ホラー映画みたいな展開に、辺りを見回しても助けはなく。不破。絶体絶命の大ピンチ！」

「死んじゃったの⁉」

「うちのクラスにいる不破は誰よ。クローン人間かよ」

「ところが、立ち上がった不破はまるで取り乱すことなく、その先輩を颯爽と合気道で取り押さえたんだって」

「えっ、すご」

あのいつもどおり涼しい顔でやってのけたのか。うん、なんかすごい想像できる。

絢が運動神経いいのも、意外と力が強かったりするのも、武道やってたからか。どうりでただものじゃない雰囲気を出してると思った。

「でもそんな騒動に巻き込まれた不破は、みんなから遠巻きにされて、やがて学校でどんどん孤立していったって話」

「えー」

面白くないオチに、あたしは眉根を寄せた。

「なにそれ、不破なんも悪くないじゃん。巻き込まれただけじゃん」

「そうだけど、でも中坊でそんな事件目の当たりにしたら、仕方なくない？　てかそもそも、事件以降に不破があんまりみんなと絡まなくなったらしいしね」

「それは」

知沙希を糾弾しても意味がないことはわかってる。絢だってきっと、人をこれ以上巻き込んだりしないように、自分から距離を置いたのだろう。

……ずいぶんと寂しそうな学校生活を送っていたんだなあ。

クラスにぽつんと座って窓の外を眺めてる絢を思うと、あたしが同じ中学だったら声をかけていたのかなとか妄想してしまう。

あたしはいいやつだから、気にすんなー、不破悪くないしさー、とかヘラヘラ笑いながら言って、絢の寂しさをちょっとは紛らわすことができたんだろうか。

胸がキュッと苦しくなる。

『学校では、できるだけ普通に振る舞ってるつもり。でも、うまくできてないから友達もいない。だから、鞠佳はすごいなって思ってた』

そんな絢の声がふっと蘇る。

そりゃ、刃傷沙汰なんてあったら、いくら絢でも人と関わるの怖くなるよね。

普通の学生は、人にどこまで踏み込めばいいのかっていうのは、なんとなく普段の暮らしで傷つけたり傷つけられたりしながら学んでゆくものなのに。絢はその機会を奪われちゃったんだ。空気を読めるようになる勉強も、できないままに。

でも絢は、自分をそのままにはしなかった。

負けたままで終わらなかったんだ。

これはあたしの勝手な想像だけど、高校生になってバイトを始めた絢は、新宿で大人たちと付き合うようになって、ずいぶんと気楽になったんじゃないかな。

学校は勉強するところ、って割り切れるようになるまで、どんな葛藤（かっとう）があったのかはあたしにはわかんないけど……。

色々と悩んで、それでもひとりでちゃんと立って、自分の居場所を見つけることができた絢は、大人だ。

わたしよりも、二歩も三歩も前にいっているんだろう。

「はーー…………」

「えっ」

「なになに？」

唐突に巨大なため息をついたあたしは、テーブルに身を預ける。胸の中のもやもやした気持ちを言葉にして吐き出すとしたら、次の一言になった。

「不破、ムカつく…………」

「今の話でそうなるの⁉」

「どんだけ嫌いなのよ、あいつのこと」

そりゃ最初はお金のために始めたことだけど、もうとっくにそれだけじゃなくなっていた。

敵（かな）わないなあ……なんて、思いたくない。

絢とあたしの勝負は、終わってないんだから。


「しばらく会えなくて、ごめんね」

悪びれながら玄関のドアを開いた絢。お互い予定のない日は駅まで別々に帰ってから、駅で合流して一緒に絢の家に向かう。そんなのが常習化してたけど、きょうは先に絢が帰ってた。

「……」

別に、謝られることなんてなんにもありませんし？　あたしは無言で絢の横を通り過ぎる。

バタンとドアが閉まった。

日曜日にアスタロッテといるところを目撃し、絢の家にようやくお呼ばれされたのが金曜日。つまりあたしは五日間なにもせず五万円をもらったことになる。決着まで残り55日だ。やったね。

絢の部屋へと向かう。あたしはまるで浮気（うわき）の痕跡を探す鬼嫁みたいな目で、部屋を見回した。

ふたりで買ったアロマがベッド脇(わき)に置いてあるのを見つけて、なぜか胸がキュッとした。

「絢の部屋ー、なんかひさしぶりだなー」

「ごめんって」

棒読みでつぶやくと、絢が苦笑い。あたしはいつもの席にちょこんと三角座りする。絢はすぐに下からお茶を運んできた。

なんかよくないことを考えそうなので、あたしは部屋の隅っこをぼーっと眺めながら無の境地に至る。

「この数日間、放課後に会えなくて寂しかった?」

隣に座った絢が、顔を近づけてくる。その手があたしのスカートから伸びた生足を撫(な)でた。柔らかくて、少しひんやりとした手のひら。

あたしよりもあたしのカラダのことを知ってる、絢の手のひら。

無の境地から引きずり戻される。また胸の中に黒いシミが浮かぶ。

「別に。悠愛とか知沙希と遊んでたから」

「そうなんだ。カラオケにいったり?」

「スタバ寄ったり、帰りに語ったり。そのふたりだけじゃなくて、あたしが呼んだら遊んでくれる人いっぱいいるし。いっつも賑(にぎ)やかだよ」

それはホントのことだ。どんなグループに顔を出しても、あたしはそこそこうまくやれる。

かわいがってもらえるし、空気にだってバッチリ馴染む。

「そっか。鞠佳はすごいね」

絢の手があたしの頭を撫でる。いつものように気軽なボディタッチ。あたしのこと全部わかってるような素振りで、躊躇なく頬を撫でてくる。

その優しさに、絢を困らせたくなった。

「やだから」

「え？」

突き放すような声に、絢の手が止まる。

「きょうはえっちしないから」

「どうして？」

絢が顔を覗き込んでくる。

あたしは膝を抱いたまま、絢とは反対方向に顔を向ける。

「どうしても。なんかやなの。そういう気分じゃないもん」

「『契約』のことは？」

あたしがワガママ言ってるのは、自分でもよくわかる。子どもっぽい行為だ。

けど、こんな気持ちのまま絢に好き放題されるのは嫌だった。なんだか自分がすごくミジメになっちゃう気がした。

「……したくないことは、したくないもん」

そっぽを向いてるから、絢の顔は見えない。絢はあたしを横からギュッと抱きしめる。

ほのかな香り。それはふたりで買った、あのティートリーの匂いだった。

ささくれだった心が、少しずつ静まってゆく。ティートリーの効用はリフレッシュ。リラックス。気分転換。だけどもちろんそんなカタログに書かれてる効き目なんかじゃなくて、絢があたしの選んだアロマを使い続けてくれたことが嬉しかった。

香りはその人を表すもののひとつ。五感の一個を絢はあたしのために捧げてくれてる。それがトクベツじゃなくてなんだというんだろう。

わかる。わかるんだよ、絢。あたし、空気読むの得意だから。

あたしは大切にしてもらえてる。一日一万円、百日間の勝負だけの関係じゃない。絢がデートのときに買ったアロマを、お部屋でまで使ってくれているのは、その証明に他ならない。

けど、もしかしたらそれもぜんぶあたしの勘違いで、絢がほんとにあたしのことなんとも思ってなかったらって考えると……やっぱり、ここから先は聞けないよ。

だから、あたしの意地っ張りはもはや暴走めいていた。

「別にあたしじゃなくても、絢にはえっちする相手、いっぱいいるんでしょ」

「まさか。いないよ」

きっぱりと言い切られても、あたしは駄々っ子みたいに首を振る。

「いるよ。だって絢、上手だもん。経験豊富なんでしょ。女の子といっぱい付き合ってきたんでしょ。だったら今でも、そういう相手がひとりやふたりぐらい」

手の甲で、優しく頬を撫でられた。

「それ、遊んでるって言いたいの？　確かにあたしはあんなお店に勤めてるけど、だれかれ構わず手を出したりしないよ。可憐さんじゃないんだから」

「……うそだ」

「うそじゃないよ。私は鞠佳にうそついたことなんて、一度もない」

絢は真剣だった。そう言ってくれるのは嬉しい。なのに。

我ながらなんて面倒な女なんだろうか。

あたしは絢にお金で買われているだけなんだから、文句を言う権利はないはずだ。あたしはどんなときも、ニコニコと機嫌良さそうにして絢に抱かれなければならない。だって、そういうお仕事なんだから。

あたしには合ってるお仕事だ。嫌なことがあっても、空気を読んで立ち回れるあたしにはぴったり。どんな人ともうまくやれる。

そのつもり、だったのに。

「でも、だって……」

うつむくあたしに、絢が覆いかぶさってきた。

「てか、ごめん。なんかきょうの鞠佳に、ガマンできない」

「え……?」

返事する間もなく、カーペットに押し倒された。

見上げた絢の目は、熱っぽい輝きが灯ってる。まさしく情欲がたぎってる、ってやつだった。

どうして今、こんなあたしに発情するのかぜんぜんわかんない。合気道で先輩を倒したって話を聞いたあとだったから、絢の目がちょっとこわかった。

「やだ、あたし、やだって言ってるのに」

あたしは両手と足で絢を押しのけようとする。だけど、あんまり乱暴に蹴るのも絢が可哀想になってしまい、弱々しい抵抗しかできなかった。

これじゃ、嫌がってるのは口だけで、絢のことをすっかりと受け入れてるかのように見えてしまうだろう。そんなの、ぜんぜん違うのに。

「好きだよ、鞠佳。ほら、顔向けて」

「やだ……んっ、んんっ!」

唇を奪われた。すぐに舌が絡まってきて、口内を貪るように暴れまくる。あたしは追い出そうと舌を突き出すけれど、待ち構えていたかのように絡め取られてしまった。

口の中を唾液ごとしゃぶり尽くされる。すごく乱暴なディープキスだ。くちゅくちゅと音が響く。脳内麻薬の分泌を促すような激しい舌使いに、あたしの全身から力が抜けていった。

抵抗が弱まると、絢は組み敷いた獲物をこれから解体するような笑みを浮かべながら、あたしのワイシャツのボタンを外してゆく。

あたしは唇を引きしめながら、横を向いた。すぐ思い通りになっちゃう自分が悔しくて、涙がこぼれ落ちそうだった。

「……やだって言ってるのに、どうしてするの、絢……。あたし、きょうはしないって言ってるんだよ……」

「そんな顔で言われたら、誰だって襲っちゃうよ。だって今の鞠佳、すっごくやらしい顔してる」

「そんなの、うそだよ……。だって、あたし、ホントにやだもん……」

本当に？　と悪魔の尻尾のついたあたしがあたしに問う。

だって、本当に嫌なら家に来なければいい。迫られたら、怒って出ていけばいい。そうしないのは、結局望んでるからじゃないの？　なんだかんだ、絢にしてもらうのが、構ってもらえるのが嬉しいんでしょ？

あたしはその言葉を、真っ向から否定することができなかった。

絢が誰と付き合って、なにを隠してるとしても、今この瞬間はきっと、あたしのことだけを考えてるだろうから。

制服のワイシャツのボタンがすべて外され、ブラを取り去られる。両手は掲げた状態で絢に片手で固定され、あたしはすっかりと食べられるのを待つだけの子羊になった。

「だって鞠佳、私にされたい顔してるもの。ほら、こんなに期待して」

「……」

あたしは口をつぐんだまま答えない。あたしの頭の中の悪魔が、絢の顔に変わってゆく。意地悪なささやきが、耳朶へと滑り込む。

「いいよ、鞠佳の望みどおり、めちゃくちゃにしてあげるから。どんなにやめてって言っても、やめてあげない。だって私ももう、止まらないから」

絢はあたしの耳をねぶりながら、胸をいじる。押さえつけられて逃げ場のない刺激は、あたしの内側をどんどんと昂ぶらせてゆく。

もう甘い声は抑えきれなかった。あたしの口から漏れる声が、まるで自分のものではないかのよう。

「あっ、や……あっ、ああん……っ」

絢の言ったとおりなんだろうか。きょうのあたしのカラダは、ちょっとの愛撫にも甘々しい反応を返してしまう。こんなに感じちゃうなんて、初めてだ。

「だめ……あや、こんなのヘンだよ……やだ、こんなの、こわいよ……っ」

震えながら絢を見上げる。

絞り出した言葉は、絢の劣情を刺激する以外の効果はなかったようで。

彼女の指使いはさらに激しさを増した。どうしてだかすごく敏感なあたしのカラダは、その一挙一動に抗えない快楽を押しつけられる。

「なんで、こんなの……だって、あたし、あやのこと……あたし……」

「好きだよ、鞠佳」

耳元に甘い吐息。

あたしのまぶたの裏で、チカッと光が瞬く。絢の手は胸から腰へ、腰から下腹部へ。そしてふとももからスカートの中へと入り込んでくる。

「やだ、こわいよ、あや……これ以上されたら、あたし、おかしくなっちゃう……。やだ、やだやだ……」

「ほら、私の首の後ろに手を回して。そう、お利口さん。ゆっくりと足をひらいて。鞠佳はなにも考えなくていいんだよ。私が、ぜんぶ気持ちよくしてあげるから。鞠佳の好きなこと、ぜんぶしてあげるから」

まるで魔法をかけられているかのように、絢の言葉に抵抗できない。

絢は涙で濡れたあたしの瞳に口づけをする。たったそれだけで、あたしの中にあったもやもやはどこかへ吹き飛んでしまう。

柔らかくて、優しくて、暖かくて、大好きな絢の唇――。

「あや……あや、あや、あやっ」

彼女の名前を呼びながら、あたしは絢を抱き寄せてキスをする。自分から舌を突き入れる。絢のすべてを味わうように。けれど絢は余裕たっぷりにあたしの頭を抱きながら、必死なあたしをあやすようにねぷねぷと舌で包み込んでくる。

あたしはあえぐようにキスするだけで精一杯なのに。絢からは絶え間なく頭が真っ白になるような刺激が送られてくる。

切なくて、悔しくて、あたしも一生懸命手を伸ばす。絢のおしりからももを撫で回し、前へと手を動かす。薄布の中へと指を潜らせる。

「やっ、鞠佳……?」

「やだ……あたしも、あやに、するの……っ。あたしも、あやを、きもちよく、してあげたいの……」

息も荒く途切れ途切れの言葉を、絢は優しく微笑んで受け止めてくれた。

あたしの手を取って、指を導いてくれる。絢のそこは、もう十分にあっつくなってた。

「ここだよ、鞠佳。ね、優しくしてね。でも、鞠佳にされたら、なにされてもきもちよくなっちゃいそうだけど」

絢は艶やかに微笑む。

あたしはその顔が、今までの絢の表情の中でも、一番きれいだと思ってしまった。

それからのあたしたちは、愛欲の塊だった。

抱き合いながら、キスしながら、お互いがお互いを気持ちよくさせようと、耽溺した。熱い吐息を交換しながら、昂ぶった熱を分かち合った。

あたしの拙い指にも絢は感じた声を漏らしてくれて、それがなんだか嬉しかった。

「はぁ、はぁ、はぁ……」

「……はぁ、はぁ……」

ベッドに並んで横たわるあたしたちは、裸だった。

何度も頭が真っ白になって、これまで味わったことがないくらいの快感が、あたしのカラダを突き抜けていった。

お互いなにも言わずに、ただ甘い視線を絡め合うだけの時間。絢は花のように微笑んでて、あたしはただ顔を赤くしてた。

じんわりとしたあの熱っぽい視線が、どうしてだか今は不思議と心地よかった。

……けれど、それはそれ、これはこれ。

えっちがどんなに気持ちよかったからって、なあなあになんてしてあげない。

「…………絢、あたしはやだって言ったのに」

「まだ言ってる」

クスクスと笑われる。

ほんとに怒ってるわけじゃない。自分がどうしてワガママを言いたかったのかも、忘れてしまった。結局、あたしは絢の思い通りになっちゃったのに、別にいやじゃない。

ただ、裸でなにもかもさらけ出したあとでも、次の一言を口に出すのはすごく怖かった。

あたしは絢に背を向ける。体を丸めて拗ねたフリをした。

「絢は、あたしのこと、どう思ってるの」

ふてくされたような声色の、かわいくない声。こんな女の子、かわいいはずがない。

あたしの理想とはもっともかけ離れた姿だ。ほんとはちゃんと、かわいくできるはずなのに。

今は声の震えを止めることだけが精一杯だった。

絢はあたしの背中を抱きしめながら、応えた。

「好き。大好きな、かわいい女の子だよ」

絢はいつだって耳障りのいい言葉をくれる。

あたしなんかより、よっぽど空気を読むのが上手なんじゃないだろうか。

でも、違う。あたしがほしいのは、絢のホントの言葉なんだ。

「……絢は、あたしのこと、本当は」

そのとき、ピンポンとチャイムが鳴った。

絢は身を起こす。ふたりの間に確かに高まっていた感情の熱が、すっと霧散していく雰囲気がした。

絢は「なんだろ」とつぶやきながら下着をつけてゆく。

あたしは嫌な予感がしてた。心の中では絢に行ってほしくないと思ってるのに、「誰だろうね」と、彼女に好きだと言われて機嫌を直したあたしを演じて微笑んでしまった。こんなときまで、空気を読んでしまった。

制服を着直した絢は玄関に向かい、あたしものっそりと制服を着る。

暗澹たる気持ちを抑え切れないまま、玄関に向かって階段を降りてゆく。言い争いの声は、絢とその人物のものだ。

降りきったところに、彼女がいた。

なんで。

「あら……？　アナタ、どこかで……ああ、バーで会った子ね！　マリー、アナタもアヤに愛されてるのね！」

どこかの学校の制服を着たアスタロッテが立つ玄関は、あたしのまったく知らないおうちに見えた。非日常の国からやってきたアスタロッテは、純真無垢という言葉が似合う無邪気な笑顔を浮かべてる。

たぶんきっと、悪気なんてないんだ。

彼女はすごくかわいくて、いい子で、人懐っこくて、ただタイミングが悪かっただけ。困った顔の絢が腕を組む。あたしは愛想笑いを浮かべてる。

「アスタロッテ、久しぶり。そっちも絢と？」

「ええ、そうよ！」

トウモロコシ畑が似合うあの笑顔で、胸を張りながらとんでもないことを口に出す。

「——アナタもアヤのセックスフレンドだったのね。仲良くしましょう！」

絢が苦い顔をしたのは見ものだったけど、それをまじまじと観察する元気はなかった。あたしは生まれて初めて、殺意ってやつを覚えた。

絢の部屋からカバンを取ってくると、玄関に戻ってきて靴を履く。

もう外面を取り繕う余裕もない。

「ううん、あたしは帰るから。あとはふたりで仲良くするといいよ」

「待って、鞠佳。違うの、これは」

浮気がバレた大学生みたいにうろたえる絢に、アスタロッテが抱きついた。

くんくんと匂いを嗅いで、「あら、アナタたち、もうセックスした後だったのね！」なんて言ってる。性に奔放な子だ。ふたりで勝手にやってるといい。

「あのね、鞠佳。ちょっと説明させてほしいんだけど」

「その子はなんの関係もない、ただの親戚の子とでも言うの？」

「いや、それは」

絢があたしを見て、目を見張った。

なんだろうか、わからない。

ただ、あたしがいっぱい目に涙を浮かべているのが、見えたからなのかもしれない。

アスタロッテはそんなの関係なく、追い打ち。あまりにも容赦のない子である。

「アタシとアヤはいっぱいセックスしたわ！　アナタも一緒にどう？」

「さよなら」

「待って、鞠佳！」

あたしはわめく絢の横を通り過ぎて、さっさと駅への道に向かう。地面を叩く靴がコンクリートを割らないのが不思議なくらいのズシズシという足取りだった。

別に期待してたわけじゃないけど。

後ろから絢は追ってこなかった。


そのまま家に帰るのも癪だったので、あたしはゆくあてもなく電車に揺られてた。

バカバカしい。どうして絢のために、あたしがヤキモキしなきゃいけないんだ。

そもそもこれが嫉妬であるかどうかも認めたくない。不誠実な絢の正体が明らかになっただけで、別にあたしと絢の仲はなんにも変わってないんだし。

ただ、ウソをついてたのがムカつく。そう、ムカつくんだ。だから胸がムカムカするんだ。

あたしは答えを得たように何度もうなずく。

こんなときは誰かに吐き出すに限る。どこかで思い切り不満を聞いてもらいたいような気分だけど、絢との関係を言えるような人なんて、思いつかないし……。

「あ」と声をあげる。適当に乗った電車は新宿に到着してた。

そうだ、あのお店がある。ホームに降りて財布の中を確認した。料金はよくわかんないけど、きっと五千円もあれば足りるだろう。

絢は確か、今週の金曜日はシフト入ってなかったはずだ。そんなことがすぐに思い出せるほど、あたしと絢の関係は親密なものになってしまってた。

あいつに案内された道を歩いていく。奥まった場所にひっそりとバーは建ってた。

一度目はお店の名前もよく見なかった。『Plante à feuillage』とある。フランス語だ。どんな意味だろう。

大人のお店にひとりで入るためらいとは裏腹に、ドアは抵抗もなくあっさりと開いた。またあの衝撃的な光景を目撃するのかとおそるおそる立ち入る。

でも、お客さんはあんまりいない。まだ早い時間帯だからだろう。

カウンターの中にいた可憐さんがこちらを見て、「あら」と口を開く。

「鞠佳ちゃん、きょうはひとり？」

「名前、覚えててくれたんですね」

「そりゃそうよ。あなたみたいな可愛(かわい)い子のことは、忘れないわ。でも、困るわね。セーラー服で来ちゃうのは」

「あっ、まずかったですよね……」

そりゃそうだ。いくら学校帰りに直接絢の家に寄ったとはいえ、セーラー服のままで新宿の、それもバーに遊びに来るなんて。

可憐さんは苦笑いのまま、店内に座る女性ふたりを指差す。

「ほら」

女性たちは顔を突き合わせながら、コソコソとこっちを見ていた。「せ、セーラー服……！マジモンのＪＫですよ……！」だとか「や、やばい……ＪＫだ……。かかかかわいい……」とか口走っている。あ、はい。

「お客さんの劣情をみだりに刺激されたら困るから」

可憐さんはカウンターの奥に入って、カーディガンを持ってきてくれた。あたしはそれを上から羽織(はお)る。空調の効いた店内は少し肌寒かったので、ちょうどいいぐらいだ。

女の人たちは「セーラー服がお隠れに……！」だとか「天の岩戸ＪＫが……」とか悔しそうにつぶやいてる。面白いからやめてほしい。

「それできょうはどうしたの？　なにか面白くないことでもあった？」

面白いことはたった今あったけど。

「可憐さん、強いお酒ください」

「ダメよ。営業停止になっちゃうもの」

「じゃあ、あたしのこと抱いてください」

「えっ！」

可憐さんは目を輝かせながら口元を両手で押さえた。

……今、舌なめずりしてたような気がしたんだけど、気のせいだろうか。迂闊なことを口走ってしまったかもしれない。

「……………………ダメよ、アヤちゃんに怒られちゃう」

「あ、はい」

怒られなかったら抱くつもり満々だったんだろうか。そういえば絢が『可憐さんじゃあるまいし』とか言ってたような。

「JKブランドはわたしにも効くんだから、滅多なことは言わないでね。鞠佳ちゃんを他の人じゃちっとも満足できない淫乱マゾメス猫に堕とすぐらい、わけないことなんだから」

爪の整えられた中指と親指をこすり合わせる可憐さん。童顔で雰囲気も甘かわいいのに、セリフのチョイスが完全にAV女優だった。

とりあえず適当にオススメを聞いてノンアルコールカクテルを注文する。夕焼けの海みたいなオレンジに、オリーブの浮いたカクテルが運ばれてきた。

口をつけると、清涼感が胸をすっと撫でてゆく。ストレス解消効果がありそうな甘みだった。

「なあに、アヤちゃんとなにかあったの？」

「ええ、まあ……」

どこまで聞いていいんだろう。あたしは可憐さんの顔色を窺いながら探るように尋ねる。

「絢ってやっぱりモテるんですよね」

「んー、そうねえ。でもうちのスタッフはみんなモテちゃうからねえ」

お店でモテてる絢を想像した。ムカついた。

「そうですよね。別に、いいんですよ。大切にしてもらってるのはわかってますし、絢が過去になにやってきたかなんて、今さらじゃないですか。でも、あたしってしょせん絢にとって、たくさんいるセフレのうちのひとりなんだなとか思うと、もやもやがすごいっていうか……」

あたしの言葉の途中で、可憐さんは「んー？」と首を傾げてたようだけど、それはともかくとしてあたしは自分の頭をかきむしりたくなった。

二度目に会う人になにを言ってるんだあたしは！

「なんかあたし、めちゃくちゃ面倒な女になってません⁉」

「女なんてそもそも面倒な生き物なんだから、いいんじゃない？」

可憐さんが言うと含蓄がすごい。

「鞠佳ちゃんはつまり、アヤちゃんと対等になりたいってことかな？」

「え、対等に？」

急にあらぬ方向から投げられた言葉を、あたしはキャッチし損ねた。

「自分が大多数のうちのひとりのままなのが嫌だ。自分ばっかりがアヤちゃんのことで悩んでるのが嫌だ。同じだけアヤちゃんにもそう思っていてほしい。悩んでいてほしい……って、そういうことじゃない？」

「えーっと……」

それはあるいは正解だったのかもしれない。可憐さんはあたしでもわかんないあたしの部分を即座に言い当てたのだろう。

でもあたしは、認めたくなかった。

「なんかそれ、あたしがめちゃくちゃ絢のことを意識してるみたいじゃないです？」

なに言ってるの鞠佳ちゃん……、という目をされた。

「え？」

「知らぬは当人だけってことかしらね……。ま、なんでもいいけど、誤解は早めに解いておいたほうがいいよ、鞠佳ちゃん」

可憐さんはかわいい魔女さんみたいな雰囲気で、あたしの後ろを指差した。

振り返る。そこには——。

「鞠佳」

「えっ」

息を切らせて、制服の上からパーカーを羽織った絢がいた。

彼女は息を整えながら、あたしの横に座る。可憐さんにペリエを注文し、「で」とあたしのほうを向いた。あたしは同じように顔を背けた。

「どうして鞠佳がお店にひとりでいるの？」

「可憐さんに抱かれようと思って」

「鞠佳……」

絢のほうを見ないようにしてツーンと言った言葉に、彼女は驚いた声を出した。

「……あれだけしても、まだぜんぜん足りないの？　……すけべな子」

「違うから！」

まったく、このバーの連中はどいつもこいつも！

あたしの頭の中で、カーンとゴングの音が響く。

もういい。絢に向き直る。据わった目で絢に指を突きつけた。

「だいたい、絢こそなにしに来たのよ。あのかわいい子と二回戦してたらいいじゃない」

「あたしとアスタロッテはそんなんじゃないよ」

「はっきりと『セックスフレンド』って言ってたけど」

「あれは、昔の話」

「絢とこうして話してる今に対して、昔であることは間違いないもんね」

息をするように口からいちゃもんが飛び出すあたしに、絢も目を吊りあげる。

「解釈に悪意がありすぎ。最初から私の言うことを信じる気がないんだ」

「片方がセフレって言ってて、片方がなんでもないって言っても、確率は五十パー、五ーパーだし。絢ひとりの言葉を信頼するための証ってなに？」

「私は鞠佳が言ったことなら信じるよ。さんざん体を重ねてきた仲だから」

「あーそう。でもお生憎様、体は体、心は心ですので。体を重ねただけで相手の過去が透視できるような能力とかありませんからあたし」

睨み合う。あたしからはぜったいに目を逸らしてやんない。

店内にはお客さんが増えてきた。可憐さんが「ＪＫが痴話ケンカしてるだけなので、気にしないでください」とか説明してる。可憐さんにも文句をつけようとしたところで、絢があたしの手を勝手に取ってきた。

「わかった。じゃあ私、今からえっちしたことのある人の名前を全員言うから。ちゃんと聞いててね」

店内が一斉に耳をそばだてた気がした。

なに言ってんの絢。あたしは手を摑まれたまま思いっきり眉根を寄せる。

「誰もそこまでしろなんて言ってないじゃん」

「過去のこと、全部知りたいんだよね。いいよ別に、隠すようなことじゃないから。私、鞠佳がそんなに嫉妬深いなんて知らなかった」

「はあ⁉　嫉妬とかじゃないし！」

「自分が処女だからって、相手の昔の女についてネチネチ言うとか、鞠佳ホントめんどうくさいよね。そういうところも好きだけど」

「違うって言ってるでしょ！　あたしは絢の昔じゃなくて、今にキレてんの！　誰とも付き合ってないとか言ってたくせに、いるじゃん相手！　うそつき！」

「だからそれは。いい加減聞きなよ、鞠佳」

やってきた可憐さんが「どうどう」と間に入ってきた。まるでレフェリーみたいだ。

「鞠佳ちゃんは確かに純情すぎだけど、アヤちゃんも割り切りすぎだから」

「あたしはそんなんじゃ！」

「私もべつに、ふつうです」

ふたりしてそっぽを向く。可憐さんは微笑みながらも腕組みをしていた。

「いい？　アヤちゃんの普通って、このお店に来る人たちの普通なんだよ。それって高校生にとってはまったく普通じゃないんだからね。毎週末ここに遊びに来てくれるような女の子の普通なんて、真似しちゃだめだから」

「……はあ」

「ちょっとアヤちゃん借りるね。鞠佳ちゃんもいったん落ち着いたほうがいいよ」

可憐さんは絢を引っ張って、カウンターの端に行った。

なにやら説教を始めてるらしい。ひとりにされたあたしのそばに、なぜか他のお客さんたちが集まってくる。

「鞠佳ちゃんの気持ちわかる……」

「え」

会社帰りのＯＬさんだろうか。ビジネススーツの似合う綺麗な女性が、あたしの隣でうんうんと繰り返しうなずいてた。

「面倒だなんて仕方ないじゃない。だって好きな人が他の人と一緒にいたら、気になるに決まってるよね。大丈夫、私は鞠佳ちゃんの味方だからね」

「いや待ってください」

「わたしもわたしも。鞠佳ちゃんのほうがぜったい正しいって。譲る必要なんてないんだから。浮気されてるほうがご機嫌取る必要ないからね」

「あの」

「そうよ。そんな若さで悪い女に引っかかって、鞠佳ちゃんかわいそうだよ。ああいう女って言い返せなくなったらすぐ体でごまかそうとするんだから」

「あー、それわかるー！」

ドッと会話に華が咲く。

あの、あたしの周りですごく盛り上がってるんですが。

見やれば、絢のほうも同じ目に遭ってるようだった。なんだろうか。あたしと絢がなにかの代理戦争のみこしとして担ぎ上げられてる気がする……。

「違うんですよ！」

大きな声を出すと、周りのお姉さん方はぴたりと雑談をやめて、あたしのほうを見た。

よし。息を吸い込んで、ちゃんと誤解を解くんだ。そもそもの誤解を。

「あたしは別に、絢のこと好きでもなんでもないですから！」

そう言い放った直後だ。

なんだろう、空気を読めることで評判のあたしにはわかる。

周囲になんというか、虚無感みたいな空気が流れ始めたのだ。

お姉さん方は『うんうん、それも人生だよね』みたいな、急に仏様のような顔をして、あたしの肩をポンポンと叩く。

誰かが「ナチュラルツンデレＪＫ、尊い……」と感極まったような声で言った。

「ごめんね、鞠佳ちゃん。無粋なことをしちゃったね。お姉さんたちテーブルに戻るね。ただ見守るだけにするから。あとはがんばって」

「あ、はい……」

なんで急にそんな関わっちゃいけない人相手みたいに帰ってゆくんだ。あたし、そんなに間違ったこと言ってないはずだけど……。すごく釈然としない。

絢も反省した顔で戻ってきた。第二ラウンドが始まった。

「ごめん、鞠佳」

いきなり頭を下げられた。え、なになに。

「私、自分基準でものを考えていて、鞠佳のことがぜんぜんわかってなかったみたい。不安にさせてごめん。寂しかったんだよね、鞠佳」

「待って待って」

なにこの浮気がバレた彼氏みたいな態度再び。なんで急にこんな風になってるの。可憐さん、絢になに言ったの。

警戒してるあたしの頭を、絢がぽんぽんと撫でてくる。私はもうわかってるんだぞ、という飼い猫をあやすような態度に、再び釈然としないものを感じた。

頭を撫でられるの自体は嫌いじゃないのが、また腹立たしい。認めたくないけど、あたしの体はもうとっくに絢のものにされてた。

「アスタロッテがここに初めて来たのは去年で、あの子はもともと可憐さんが好きでさ。なんか冗談っぽくちょっかい出してたんだよね」

「……ふうん」

どうやら、過去の話をしたいらしい。いいよ、したいなら聞いてやろうじゃないの。

「ひとりで来てたの？」

「うん、当時は未成年でも入れるビアンバーを探してたんだって。で、可憐さんにちょっかい出してたので、抱かれちゃったんだけど」

「待って待って」

二度目のタイム。ペースが速いぞ。

向こうで接客してる可憐さんに聞こえないように声をひそめる。

「え、抱いたって、えっちしたってこと？　あの子いくつなの？　未成年じゃないの」

「中学三年生だよ」

犯罪じゃん……。

「可憐さん、肉食系のフェムタチだから、来るもの拒まずで……。だから、ダメだよ。冗談でも可憐さんに抱いてなんて言ったら、めちゃくちゃにされるよ。鞠佳はそんな軽率なこと言わないと思うけど」

「あっ、はい」

なんか急に寒気がしてきた。可憐さんの私物のカーディガンに包まれてるからかな。

怯えてると、急に絢の目が泳ぎ出す。

「それで、可憐さんとアスタロッテが仲良くなって、その……」

「？」

はー、とアンニュイなため息。

絢は目を伏せながら、さらにトンデモ発言をした。

「ひょんなことから、私もその関係に加わることになって」

「絢、あんた……マジで？」

「……当時は私も若かったから」

去年のことだろうがよ。あたしが呆然とした目を向けると、絢は恥ずかしそうに頬を染めた。

ごまかすようにまくしたてる。

「可憐さんのことは前から知ってたし、アスタロッテも私のことを誘ってくるし、一度ぐらいならって思ったの……。でも、参加しちゃったって言っても、数回だよ。三人でするのってけっこう恥ずかしくて……。それ以降は、一度もしてないから。ほんとだよ。ただアスタロッテはずっと私のことをセフレとか言うから、いちいち否定してるんだけど、聞く耳持たなくて……」

なるほど。

「じゃあセフレじゃん……」

「違う、三人だから。私はメインじゃなくて、サポートみたいなものだから」

よくわからない理屈をこね出した。

あたしの中の不破絢像はついに音を立てて崩壊した。

あとに残ったのは……なんだろ。なんか、クラスメイトの不破絢が『移動教室、どこ?』とオロオロしてる姿の像だった。あまりにも親しみやすい。

一方、目の前の絢は不安そうな顔をしてる。

揺れる瞳であたしを上目遣いに見つめてきた。

「……幻滅した?」

これだけのことを告白するには、そりゃすごい勇気が必要だったろう。けど、あたしはあたしですっかり余裕がなくなってた。

「いや、どうだろ……。3Pはなんか、あたしの中では評価は上がりも下がりもしないかな……。世界観が違いすぎて」

「安心していいのかなんなのかわかんない」

「いや、あたしもだよ。ずっと肌を重ねてた子から、いきなり3P告白されて、しかも相手が中学生と元AV女優とか、そんなの…………ぷっ」

ダメだ、限界だ。思わず吹き出してしまった。

めちゃくちゃウケる。

今まで絢のことをずっと大人なやつだと思ってたけど、目の前で酔っ払ったように頬を赤くしながら過去を語る絢は、なんか、むしろ子どもっぽいっていうか、とにかくおかしかった。

我慢できなくなって、あははは、と大口開いて笑っちゃう。

「それでセフレって……、絢、なんで誘いに乗っちゃったのよ……はー、お腹痛い」

笑えば笑うほどに、絢は恥ずかしそうに頬を染めた。

「わからないけど、たまたまその日ムラムラしてたんだと思う。可憐さんのDVDも見たことあって、興味もあったし」

あまりにも素直だ。あたしにウソをつかないんじゃなくて、ひょっとして不器用だからウソをつけないだけなのでは？

「あんまり笑わせないでくれる……？　ねえ、ひょっとして絢って、ヘンタイってより、バカ？」

あたしに思いっきりバカにされて、絢も腹に据えかねたようだ。あたしをキッと睨んできて責任を転嫁する。

「だいたい、バカなのは鞠佳のほう」

「いやあたし3Pとかしたことないし」

「もういいからそれは。鞠佳なんて、おじさん相手にサポするとか言い出してた。どんな危ない目に遭うかわからないのに」

「いきなりハサミ持った人がクラスに乱入してきたり？」

上手にからかったつもりだったんだけど、絢は急に厳しい雰囲気を出した。

「……そうだよ。よく知ってたはずの人ですらそんな風になるんだから、知らない人なんてもっての外。襲われたとき、鞠佳は自分の身を守れるの？　むりだよ」

トン、と絢に胸の中心を押される。修羅場（しゅらば）を乗り越えてきた絢の言葉は重くて、さすがのあたしもなにも言い返せなかった。

口を尖（とが）らせながら、沈黙をおそるおそる破る。

「でもいいじゃん……結局、絢があたしのこと、買ってくれたんだから」

「……」

絢はプイと顔を背けた。思わせぶりな態度は、それがただの幸運ではなかったと白状してるかのようだ。

冷水を浴びせられた気がした。あたしはハッとする。

もしかして、絢って。

「え、まさか」

「……あたしのこと心配してくれて、それであたしを買ってくれたの？」

ここ二ヶ月で一番驚いた。

絢は言い訳がましい声を出す。

「こういうこと言うの、あんまり得意じゃない。でも、可憐さんが包み隠さず喋ったほうがいいって言うから」

珍しく拗（す）ねたような顔は、きっと本気で恥ずかしがってる顔だ。

「……そうだよ。鞠佳が心配だった」

「うっそ、ほんとに？」

「なんだと思ってたの」

「いや、同性愛をバカにしたウザいクラスメイトが目障り（めざわ）だから、ちょっと懲らしめてやろう、ぐらいの気持ちかと……」

「なんで嫌いな人と肌を重ねたいって思うの。それこそバカだよ」

「ええー……？」

いや、そりゃその通りなんだろうけど……ええ？

急な話に、あたしの頭がついていかない。おかしいな、自分は空気読めるし察しもいいタイプだと思ってるのに。

「つまり、絢はあたしが本当におじさんとサポするんじゃないかって心配して、だったらってその前に自分から話を持ちかけたわけ？　同性愛にありえないって言ったからってのは、ただの方便で？」

「まったく関係ないってわけじゃないけど。まあ、だいたいそんな感じ」

あたしは心の底から思ったことを、たったの三文字にして叩きつける。

「なんで？」

「…………………」

絢は監督に指示を仰ぐ高校球児みたいに可憐さんを見た。

可憐さんはなんか有無を言わさないような笑顔でうなずく。

絢がため息をついた。あたしを見て、さらにため息。

「なによ」

「鞠佳って、空気読めないよね」

「はあ⁉」

よりにもよってこいつ、本気でなんつーことを。

「読めなかったことないし！　はあ？　よく考えればわかるってこと？　なんであたしが絢に百万円で買われたか。理由がバッチリわかるってこと⁉」

「わかるよ。てか、わからないの今この店で鞠佳ひとりだよ」

「わかる人ー⁉」

どうせみんな聞き耳を立てているんだ。あたしはカウンターから店内に向かってアンケートを取った。

全員が手を挙げた。いやいや、いやいやいやいやいやいや。

「ノリで手を挙げてるだけでしょ！」

「あのね、鞠佳」

「あ、答え言うつもりだ。ねえ、ちょっと待って。あたしこういうの考え出すと、気になっちゃうんだよ。せめて一週間は考えさせてよ」

「鞠佳」

絢がぐいと無理矢理顔を自分に向けさせてきた。目がマジである。はい。

「ちゃんと聞いて。私は一年生のときから、鞠佳のこと知ってたの」

「そう、なんだ」

あたしも絢のことは知ってた。

その頃はまだ違うクラスだったけど、絢の噂は聞いてたから。それは『なんか生意気な新入生がいる』みたいな、いい噂じゃなかったけど、でも、なんとなく怖いもの見たさみたいなものがあって他のクラスまで絢を見に行ったことがある。

すっごく綺麗な子だな、と思った。

たぶん噂のほとんどはやっかみで言われてるんだろう。立ち回りの下手な美人は、学校という狭い世界では生きづらい。かわいそうだなーって思った。

まあ同じクラスになったあとは、なんだこのふてぶてしいの……苦手だわー……ってなったんだけど。

「鞠佳はどこでもキラキラしてて、すごかった。鞠佳の周りはいつも賑やかだったから、ずいぶんかわいい子がいるな、って思ってた」

「ま、まあ……人気者だし、ね？」

手を握られ、目を見つめられながら熱っぽい言葉を告げられる。

なんだか、無性に恥ずかしい。

「同じクラスになってからは、鞠佳はいつもクラスの中心だった。鞠佳って委員会にも率先して入るし、仲間外れの子がいたら声をかけてあげるし、みんなにすごく気を遣ってニコニコ笑ってたよね。すごいなってずっと思ってた」

照れる。

「そ、そんなことないよ。あたしはただ空気を読んでただけ。みんなが居心地いいクラスが、あたしにとっても居心地いいから、全部自分のためだよ。それに、絢のことだって苦手だったもん……」

「私のほうが鞠佳を避けてたんだよ」

「……どうして？」

「中学校の話、知ってるんだよね。私がクラスで目立つと、ロクなことにならないから。だめなんだ、私。だから、近づかないようにしてた。鞠佳は私なんかと関わらないほうがいいって」

「関わってきたくせに」

「だって仕方ないよ。鞠佳、あんなこと言うんだから……。ガマンできない」

その声色は、よく聞いたことがある。他ならぬ、意地を張って素直になれないときのあたしだ。絢はそのときのあたしにそっくりだった。

うそ、ひょっとして。

絢って。

カーっと頬が熱くなる。

これ、たぶんあたしの自意識過剰じゃないと思うんだけど、まさかまさか、え？

たぶん同じくらい火照った顔の絢を覗き込みながら、神妙に問う。

「絢って………あたしのこと、好きなの？」

大きく息をつく絢は、間を取るように髪をいじる。

ふわりと香るのは、シャンプーの香り。それとちょっと汗の匂い。あたしと絢がえっちしたときの、残り香だ。

固唾をのんで絢を待つ。バーの時計がぜんぶ止まったみたいだ。

ジャズの音楽も、なんにも聞こえなくなって。

絢はやがて観念したように、文字通り——告白した。

「そうだよ。鞠佳のこと、好き。ずっといいなって思ってた」

その一言で、ずっと胸にわだかまっていたもやもやが、スッ……と晴れてゆく。

霧が散ったあとに見えたのは、一面の晴れ模様。空と海に挟まれた水平線だ。水面から乱反射する日差しは眩しすぎて、あたしは絢の顔が見れなかった。

「え、えー……そんな……えー……」

もう告白し終えた絢は、失うものがなにもないかのように開き直った。

「だから、鞠佳がサポするとか言い出したのが、いやだったんだよ。同性愛とかありえないって言ったのも悲しかったけど、それよりも鞠佳の身になにかあったらって思うと心配で仕方なかった」

自分の身を振り返る。

今まで何度も何度も挑発するように『ありえない』って言い続けてきた。そのたびに絢は悲しい思いをしてたんだ。自分の好きな子から自分を否定するような言葉を、真っ向から浴びせられてたんだから。

その事実に気づいたとき、あたしは震えた。

思わず絢の手を取る。

「ごめん、絢。あたし、ひどいことばっかり言って……」

「『ありえない』って?」

絢は頬を緩めた。

「いいよ別に。ストレートな子をレズに落としていくの、すごく興奮するし。それがいつも明るくてかわいい鞠佳相手だなんて、最高だったから」

「うわあヘンタイ」

そこに関してだけはブレない絢だった。あたしの反省を返して。

「はぁ、まったく……。でも、そうよね、同じクラスでずっと好きだった女の子がお金ほしいって言ってて、絢は大金持ちだから百万円ぐらいポンと出せるんだもんね。願ったり叶ったりよね」

おかしな間があった。

「え、違うの？」

「大金持ち？　私が？」

「なんでそんな風になっているの？」

だって……と言いかけて口をつぐむ。

そんなの、ただの噂だ。

「絢がなんのためらいもなく百万円を出してきたから……そうなのかなって」

「なにそれ」

絢が笑う。それはあたしでもドキッとしてしまうような、颯爽とした笑みだった。

「あれはお店でバイトして貯めたお金だよ。もしものために、使わないでいただけ」

「え……じゃあ、金銭感覚は普通の女子高生なの……？」

「どうかな。アルバイトしてる分、普通の人よりはもう少し余裕があると思うけど」

なんと……。

「え、じゃあ絢って、あたしのために今まで地道に貯めてた百万円を払ったたってこと？　絢にとっては、あたしにそれだけの価値があったたってこと……？」

絢は少しも迷わずにうなずいた。

「とうぜん」

信じらんない。

そりゃ絢はバイトも楽しそうだし、セクハラされてたあたしとは違うんだろう。でもだからって、百万円だよ？　そんな大金、自分のために使うべきでしょ。

あたしなんて三万円のバッグ買うために身を危険に晒そうとしてたってのに……。

なんなの、もう。

あたしは胸を焦がす熱の高まりをごまかすように、つぶやく。

「絢、あたしのこと好きすぎじゃん……」

やだ、なにそれ。

やばい。すっごく……嬉しいんだけど。

「そうかな。でも、少しも後悔はしてないよ。いつかなにがあってもいいようにって貯めていたお金を、好きな人のために使ったんだもの」

絢の言葉を聞いて、さっきからドキドキが収まらない。

「これに懲りて、鞠佳が二度と危険なことに首を突っ込まなくなったら、それはそれでね。だけど、チャンスだとも思ったから、全力で鞠佳を落とそうとがんばってたよ」

「確かに、好き放題やられたよね……」

かたや絢なんて、もう嵐は通り過ぎたみたいな顔しちゃって、あたしをただ真剣な眼差しで見つめてる。

あたしはその目をずっとずっと、苦手だと思ってた。

でもホントは、どうだったんだろう。

その目で見つめられると、落ち着かなくなっちゃう。だけどそれって、本当は苦手なんじゃなくて……あたしがその目を意識しすぎちゃってたから？

なにか答えないと。気持ちが焦る。そんなに愛されていただなんて。

ああもう、信じらんない。頭がパニくる。

「あ、あのさ、絢……。キスするときとか、初めてえっちするときとか、どういう気分だったの……？」

あたしはどうしてこんなことを聞いてしまってるのか。

「最高だった。生きててよかった。合気道を習わせてくれた親に感謝した」

グッと拳を握る絢。あたしを抱くときに親の顔を思い浮かべるのやめてほしい。

はーもう。

人のこと空気を読めないとか言っちゃったくせに、やっぱり絢のほうが何倍も不器用だよ。

「……なんで」

「え？」

あたしは思わず絢に食ってかかった。

だって、あたしたち今までずっとすれ違ってたってことだもん。

「なんでそういう大事なことは、先に言わないの⁉　あたし、絢がなに考えてるかわかんなくて、ずっとなんなのこいつって思ってた！　好きなら好きって言ってよ！」

「えっと……。そこ、大事？　私のきもちなんて、どうでもよくなかった？」

なにをしれっと言ってんのこいつ。

「大事に決まってるでしょ！　てか、もう、それが一番大事に決まってるし！　もし最初に好きって言われてたら、お金なんてなくたって！」

「なくたって？」

「………なんでもない」

さすがに勢いでもそれ以上先は言えなかった。

……ていうか、あの頃の仲良くなかった絢に告白されたとして、あたしはどう思ったんだろうか。

女同士なんてありえないって、あたしは言い張ってた。けど、苦手だと思ってた不破絢が、顔を赤らめながらあたしに告白してきたら……あたしは嬉しかったと思う。

最初は自尊心が満たされる気持ちだ。なんせ相手は、あの不破絢なのだ。あたしは彼女に好かれてることに優越感を抱くだろう。

でも、それだけのままじゃいられない。絢が猛アタックしてくるうちに、あたしはきっと……。

きっと、なんだろう。あたしはきっと、きっと……？

——きっと、絢のことを好きになる？

答えにたどり着いた気分だった。心臓の鼓動が跳ね上がる。息が苦しい。胸がきゅっと切なくて、視界が狭まる。あたしの中心に絢がある。

「ね、鞠佳」

すごくきれいな絢が、あたしの頬に手を当てた。

ただそれだけであたしの背筋に電流が走る。瞳に涙が浮かぶ。

「私はちゃんと、ぜんぶ話したよ。今度は鞠佳のばん。鞠佳は私のこと、どう思ってる？　今でも、嫌い？」

「そんなの……」

「言ってよ、鞠佳」

カウンターの端の席に座るあたしは、逃げ場がない。それに、絢が自分の想いを告白してくれた以上、この先を黙っているのは、あまりにも不誠実だ。

「……嫌いな人に、キスとかしたり、できるわけないじゃん」

でも口から出たのは、ひねくれた言葉。

言いたいのは、こんな言葉じゃない。それがわかってくれてるのか、絢は追及の手を緩めなかった。緩めないでいてくれた。

「それってつまり、どういうこと？」

ちゃんと言いたい。

「絢のこと……もう、嫌いじゃない」

「嫌いじゃないだけ？」

息を吸い込む。ドキドキがいっぱいで、胸が張り裂けてしまいそう。

ふるふると力なく首を振る。がんばらなきゃ、あたし。

「……だけ、じゃないの……」

「じゃあ……、私のこと、好き？」

頰に触れた指が髪をかきわけ、あたしの耳を撫でる。ゾクゾクと頭が痺れる。

もう周りの声なんて聞こえなくて、絢だけを見ていた。

ここで言わなきゃ、一生言えない。伝えなきゃ。あたしにはできるんだから。

精一杯の、もう本当にどうにかなっちゃいそうなぐらいの勇気を出して、あたしはうなずいた。

「……うん」

なのに、絢は非情に首を振る。

「ダメ」

「えっ……」

きっとあたしは絶望的な顔をしたんだと思う。

だって、それを見た絢がすごく色っぽく舌なめずりをしてたから。

「ちゃんと言って。ね、私のこと、好きだよね？」

「……絢の、いじわる」

「鞠佳がかわいいから。それに、私はちゃんと言ったよね？」

言ってくれた。だからこんなに恥ずかしいし、こんなにも嬉しい。

この気持ちをあたしだけが味わうなんて、そんなのダメだ。

絢にも、ちゃんと言わなきゃ。

勝ち負けとかもうそんなのないけど、あるとしたら、あたしは絢にも勝たせてあげたい。

ずっとあたしのことを想ってくれた絢に、トロフィーをあげたい。

あたしはもう、自分の全部を捧げるような気持ちで、口を開く。

「あたしは」

息を止めて、捧げる。

あたしの、もう、ぜんぶを。

ぜんぶを。

「絢のことが、好き……」

恋があふれた。

「大好き、すっごく好き。本当に好き。好きだよ」

絢に抱きつく。全身で絢を感じる。あふれた気持ちは、とめどない。

ずっとずっと意地っ張りでせき止めてたから。

その勢いは、あたし自身にも押さえきれなかった。

「素直になれなくて、ごめん……。だって、絢があたしをなんとも思ってないのに、あたしだけ絢のことが好きなんて、そんなの悔しくて、ぜったいいやだったから……」

自分の言葉に気づかされる。

あたしはこんなにも絢のことが好きだったんだ。

「でも、嬉しかったの。絢が想いを打ち明けてくれて、あたしだけじゃないんだってわかったのが、本当に嬉しくて……。好き、大好き……。絢と、ずっと一緒にいたい」

背中を絢がぽんぽんと叩いてくれる。

いつの間にか、あたしは泣いていた。

想いが通じ合って、嬉しくて泣くなんて、初めてのことだった。

人がこんなに愛しいのも初めてで、絢はあたしにたくさんの初めてをくれた。

ようやく、素直になれる。

「あたしは絢のことが好き……。いつからなんて、わかんない。でもひょっとしたら、最初から好きだったのかな……。絢のことずっと気になってて、絢みたいになりたかったんだ。いっつも絢のことを目で追ってたの……」

そんな絢が、あたしのことを好きでいてくれる。

両想いなんだ。すっごく、嬉しい。

あたしの涙を指で拭いながら、絢は微笑んでた。

「ありがとう、鞠佳。一緒にいよう。ずっと、一緒に」

その優しい声に、あたしはあえぐようにうなずいた。

「うん……、大好き、絢……」

「私もだよ、鞠佳」

あたしが絢に口づけをしようとした、そのときだった。

無粋な手のひらが差し出されてきて、あたしたちの間に物理的な壁を作った。

もどかしくて、眉根を寄せて見やる。

そこには腰に手を当てた可憐さんが、微苦笑を浮かべながら立ってた。

「すごく素敵な告白だったけどね、それ以上あの子たちにサービスしてあげる必要はないから」

「ふぇ……？」

すっかり忘れてた。

あたしが店内に目を向けると、サッとみんなが目を逸らす。そういえばそうだ。ここはお店の中だった。薄暗い店内だけど、あたしたちがなにをやろうとしてたかぐらいは見えただろう。

うっわ……。急に恥ずかしさがこみ上げてくる。

可憐さんは微笑みながら、カウンターの裏手にあるドアを指差した。

「だから……続きは、奥で……ね？」

ものすごく、こう、声にはならぬ行かないでという合唱が聞こえたような気がしたけど……。

でも、あたしは空気を読まなかった。

場の空気なんかより遥かに大切なものが、もうあたしにはあるから。

あたしの腕の中にあるのは、あたしだけの本物。本物のトクベツ。

百万円をきっかけに生まれた、あたしのもうひとつの居場所だ。

借りたカーディガンを椅子の上に畳んで返し、視線を振り切って立ち上がる。

「絢、いこっ」

「うん、鞠佳」

あたしと絢はバックヤードを通って、バーの休憩室に向かう。ドアを開くと、驚くべきことに四畳ほどの広さの休憩室には、なんとベッドが置いてあった。

狭い部屋にふたりきり。ドアを閉じた絢は、気恥ずかしそうに微笑む。

「このベッド、たまに借りて寝泊まりしてるんだ。ちゃんと毎回シーツは替えてるから、安心して。お店にはシャワーもあるんだよ。だから……」

最後まで言い終わる前に、あたしはベッドに仰向け（あおむ）けになった。スカートがしわにならないように寝そべる。

「うん、絢」

あ、このベッド、絢の匂いがする……。

それだけであたしの胸はきゅんきゅんしてしまう。目を閉じて大きく息を吸い込んだ。今までに何度もえっちした記憶が、あたしの中からあふれてくる。

我慢できないのは、あたしも一緒だ。あたしも……ヘンタイ、なのかもしれない。だったらきっと、絢のがうつったんだ。ぜったいそう。だってこんなに好きなんだもん。

両手を広げて、できるだけ艶やかに見えるように。

絢を、誘う。

「いいよ。だって、絢はお店で発情してしたくなっちゃうような、ヘンタイ、だもんね。おいで。……あたしのこと、ちゃんと愛してね？」

あたしの胸に、絢は飛び込んできた。

お店でそんなことするなんて、あたしたちは本当にもう、どうしようもない子たちだなぁ……♡

ちょっと長めのエピローグ

ARIOTO

onnadoushitoka
ARIENAIDESYO to
iiharuonnanoko wo
hyakunichikan de
TETTEITEKINI otosu
yuri no ohanashi

「え⁉」

絢が珍しく大きな声を出した。

ここは絢の部屋だから誰に迷惑がかかるというわけじゃないんだけど、びっくりした。けど絢はそれ以上に目を丸くしてる。突然の裏切りに遭ったような顔だ。

「……なに言ってるの？　鞠佳。本気？」

「いや、だから」

さっきと同じ調子で、さっきと同じ言葉を繰り返す。

「あたしはまだ落ちてないから、って言ったの」

絢とあたしが付き合い始めてから、一ヶ月が経った。

季節はすっかり夏真っ盛り。涼しいエアコンの効いた絢の部屋で、あたしたちは夏休みの計画を立てていた。

「いくらなんでもそれは無茶な話だよ」

テーブルに頬杖をついた絢が、梅雨時みたいなジトッとした視線を向けてくる。

別におかしなことを言ってるつもりはないから、あたしと絢の温度差がすごい。

「無茶じゃないし。だって絢は『徹底的に落とす』って言ったじゃん。あたし別に、徹底的に落ちてないよ」

そう、つまりそういうことだ。あまりにも理路整然とした言い分。これには絢も思わず納得……という顔ではなかった。むすっとしてる！

「一応聞くけど、徹底的ってどのくらい」

「もう寝ても覚めても絢のことしか考えられない、絢がいないと生きていけないっ！　ってぐらい？」

「そっか……」

絢は口元に手を当てて、難しく考え込む。

あたしと絢の関係は、付き合う前と特に変わったところはない。絢のことは好きだし、確かにあたしは恋に落ちた。けど『徹底的に』という部分に、あたしはずっと引っかかってたのだ。

だって徹底的にってこんなもんじゃなくない？

「……それってもしかして、百万円の勝負もまだ続いているってこと？」

「うん」

「いまだに女同士ってありえないって思っているってこと？」

「んー……まあ、うん」

絢はさらに難しい顔をした。そうしてるときの絢の横顔はほんとに綺麗で、あー好きだなあ、って思う。桃の果実みたいな穏やかな恋の味がする。

「だってあたしが好きなのは絢だし。女同士なんて関係ないっていうか。性別とかじゃなくて、絢を好きになったわけで」

「いや、そういうのいいから」

「なにが⁉」

鼻をつままれた。ふぎゃと悲鳴をあげる。

「負けず嫌いとひねくれ者もいい加減にするんだよ」

「そんなつもりじゃないのに……」

実際に、どうして女同士で付き合ってるんだろう、と思うことは多い。

あたしは自分が同性愛者だっていう実感が、まだぜんぜんわかないのだ。子どもの頃から

ずっと、好きなのは男の子だったからなんだろう。

だから、こんなんじゃ徹底的になんて言えないよね。

絢はいい加減にしろよとばかりに首を振る。

「鞠佳ってほんとに、なんていうか、誘い受け」

「え、なんで！」

「だってそれ、ようするに、徹底的に落としてほしいっておねだりしてるんだよね」

「なんでそうなるの⁉」

「あたしを早く絢のものにして、って、せっついてきてる。なんにもわかんなくなるぐらいあたしを溺れさせて、って。気づけなかった私も悪いけど。ほしがりすぎ」

「違うから！」

こいつ、自分にいい風に解釈しすぎだわ。

絢はその調子であたしの肩をポンポンと叩いてきた。

「わかった。夏休み、温泉旅行に行こう。私がお金出すから」

「ええっ⁉」

なにが絢の衝動に火をつけたのかわかんないけど。

「唐突に……。楽しそうだけど、お金は悪いよ」

「じゃあ、あの百万円から出すってことにしよ」

「……つまり、あたしが勝ったらあたしが出して、絢が勝ったら絢が出すってこと？」

「そういうこと」

と、言われてもなあ。

あたしはもうあの百万円をもらう気はなかった。

絢が大金持ちで銀行に百億円ぐらい預けているっていうのならともかく、だってあれは絢がバイトで貯めたお金なんだからさ。

バッグ代の三万円だって、そのうち返す予定。

口に出したことはないけど、たぶんあたしがそうするつもりなのは、絢に筒抜けだと思う。あたしも前ほどお金お金言わなくなったしね。

しかしその当人は、あたしを挑発するように笑みを浮かべてた。

「ということは結局、私が出すことになるよね？」

自信に満ちた、美人だけど憎たらしい顔を見て、あたしの中のなにかがふつふつと沸き立つ。この感覚、久しぶりだ。最近ずっと絢が優しかったから、忘れてた。こいつ、もともと意地悪なやつだった！

「いいじゃん、そっちがその気なら行くよ、温泉旅行。でもね、なんでも思い通りになると思ったら大間違いだから。ぜったいに落ちたりしないし」

絢はますます笑みを濃くしやがった。

「口では威勢のいい鞠佳、好きだよ。その分、落としたときのギャップがかわいいから。といっても、鞠佳は堪(こら)え性がないから、責められるとすぐ屈服しちゃうんだけど」

「しないし！　その余裕たっぷりな態度もあと少しだから！　見てなさいよね！」

「はいはい、愉(たの)しみにしてる」

両手を広げて肩をすくめる絢。

「『女同士とかありえないって言って、ほんとにごめんなさい。あたしがばかでした。だからイカせてください』って、あえがせてあげる」

「そんな恥ずかしいこと言わないし！　AVの見すぎだから！　もう！」

キャンキャンわめくあたしはまるでご主人様に逆らおうとするわんこのようだ。ま、実際は虎(とら)なんだけどね。絢みたいな女の子なんてぺろりと食べちゃうんだから。

見てなさいよ絢。あたしだって最近ちょっとずつ勉強してるんだから……。

こうして、決着の99日目。

8月15日と16日にかけて、あたしと絢の温泉旅行が企画されたのだった。

あたしと絢が付き合うようになってから、周りではちょっとした出来事がふたつあった。ひとつはアスタロッテのことだ。

絢のおうちにて。結局、彼女が家に遊びに来てたのはなんだったの？　と聞くと。

「あれは、色々と事情があって。大したことじゃないよ」

なんて面倒そうな顔をしやがったから、思い切り睨(にら)むと。

「いや、ごめん、隠し事するつもりじゃなかったんだ」

と、絢は申し訳なさそうに語り出した。

ほんとね、いい加減にしなさいよ不破(ふわ)絢。またこじらせるつもり？

「アスタは、マンガ読みに来てただけだよ」

「……マンガ？」

「マンガ。百合マンガ」

思った以上にしょうもない理由だった……。

「中学生だし、まだお金ないから、マンガ喫茶にも通えないし。うちで読んでたんだ」

「ええー……？」

「もともと日本のそういうのが大好きだったみたいで、それに憧れて交換留学生としてやってきたぐらいだから。百合って海外でも『yuri』って言うんだってね」

「それだけのために一週間も……マンガぐらい貸してあげればよかったんじゃ」

絢は嫌そうに顔をしかめる。

「ダメ。アスタは読み方が雑だから、本を折ったりする」

ああ、確かに絢ってそういうの気になりそう。

「でも、あたしは貸してもらったけど」

「鞠佳は読み方に品があるし。それに……トクベツだから」

そ、そうですか。

急にそんな感情ぶつけられても困る。いや困らないけど。照れます。

「だから、鞠佳の想像してるようなことはないから、だいじょうぶ。せいぜい、えっちな百合マンガ読んでるときに、アスタがひとりでしてたくらいで」

うん……うん？

なんか今、すんごいこと言われたような気がしたけど、追及しないほうがいい気がする。やめよう。見えてる地雷は踏みません。

「まったく、絢ってば。それならそうと早く言ってよね。ドタキャンとかしてさ。なにかあったのかって思うじゃん」

「だって、アスタも急に来るから。片道一時間ぐらいかかるんだよ。追い返すの、かわいそうになる」

絢って優しいっていうか、意外と押しに弱いよね。カラオケとかでも、あたしにお願いされて歌っちゃってたし。

「アスタロッテちゃんは今でも絢の家に通ってるの？」

「ううん。『彼女できたから』って断ってる。鞠佳に誤解されたくないから」

「え？　えへへ……そ、そっか」

やばい、顔が緩んじゃう。絢、あたしのことカノジョって言ってるんだ。

いや、カノジョなんだけどさ。なんか、なんだろうこの感じ。恥ずかしいっていうか、くすぐったいっていうか。カノジョかー……。

「で、こないだこんなメッセージが届いた」

スマホには『今度四人でセックスしようね！』とある。難易度たけえ。

「あの子は性欲モンスターかなにか？」

「ちゃんと可憐さんが責任取るべきだと常日頃から思ってる」

可憐さんのせいなんだ……。

「なんて返信したの？　いいよとかって言わなかったわよね」

「うん。やだ、って返した」

絢は澄まし顔の他に、渋面も似合うとあたしは勝手に思ってる。

彼女は低い声を出す。

ああーそういう理由……。うん、でもわかる。あたしも絢の裸、他の人に見られたくない。

「鞠佳の裸とか、見せたくないもん」

あ、なんか思い出したらムカムカが。

「3Pはしてたくせに」

「……もうしないし」

「ホントに？」

「あたりまえ」

ぎゅっと絢があたしの腕に抱きついてくる。

髪の毛からふんわりとティートリーの香りが漂う。

胸元から上目遣いで、絢はあたしをじっと見つめる。

「鞠佳も、いやだからね。私以外のひとと、したら」

「はいはい、わかってるわかってる」

まったく、こういうときの絢はすっごくかわいいんだから。

いつもこんな甘えん坊ならいいのに……。どうせ温泉旅行のときは、小悪魔に変わっちゃうんだろうな……。

それともうひとつ。こっちはそれなりに驚きだった。学校帰りのファミレスでダべってるときに、突然のカミングアウトをされたのである。

「実はあたしたち、付き合ってるんだよね」と。

悠愛と知沙希にだ。

思わずスプーンを取り落として、店員さんに替えを持ってきてもらうことになった。

あんぐりと口を開いたまま、あたしは「え？　え、え、え？」と問い返す。

「い、いつから？」

どうして、だとか、なんで、だとか、女同士のくせに、とかそういうのは一切浮かばなかったのは、あたしも絢と付き合ってるからだろう。

悠愛は恥ずかしそうにうつむいたまま。

「一年生の、冬から……」

「そんな前から⁉」

え、ちょっとまって。

「じゃあ前に、『女同士ってどう？』って知沙希が話振ってきたときには、もう付き合ってたってこと？　え、じゃああれカマかけだったの？」

「まあそう」

「うっわ……そうだったんだ、ごめん、あたしなにも気づいてなくて」

思わず頭を下げると、ふたりはいいよいいよと笑ってた。空気読み名人のあたしの称号に、自称がつく日も近いかもしれない。アイデンティティの崩壊だ。

そっか、だからいつも一緒にいたんだ……。いや、でもなんだろう、うん。

「えっと……おめでとう？」

「ありがとう？」

悠愛が笑う。

「まりかに言ったら、ドン引きされると思ってた。『女同士とかありえない！』って」

「いや、まあ、その……あたしにも色々とあったわけで」

ごにょごにょと言葉尻がしぼんでゆく。知沙希はウソを見抜くと評判の目で笑う。

「マリも日々成長してるんだよね。最近ずっと不破と仲いいし」

ニヤニヤと言われた。こいつ、もしかして気づいてるのか……？

悠愛は「？」とトボけた顔をしてるけど、知沙希はホント油断ならないから。

「ええー、なんだろう。こう、知り合い同士がそんな関係だったとか、ヘンな感じするね。いや、嫌ってわけじゃなくて、なんだろう……。あの、あたしお邪魔じゃない？」

「いいのいいの、まりかだから。これまで通りおトモダチでいてくれたら、それだけで。ねー？」

と悠愛が知沙希に話を振った。知沙希も小首を傾げて「ねー」と言う。その仕草がなんだかすごく以心伝心な恋人同士っぽかった。

「うん、特になにかしてほしいってわけじゃないんだ。ただ、なんとなくマリには知ってほしかっただけで」

「はー……。それならいいんだけど。いや、なにがいいかわかんないけど」

にしても、一年とちょっとの一番仲いい友達のふたりが付き合ってただなんて、ほんっとびっくりした……。

悠愛はあたしが高校に入って最初に仲良くなった女の子だ。

中学の知り合いがあんまりいなかったあたしは、高校でいっぱい友達を作るつもりだった。

自信はあったけど、まあ不安は不安だったわけで。

そんなあたしに話しかけてきたのが悠愛だった。

『ね、ね、キミかわいーね！　お友達になろーよ！』

ナンパみたいな口調でチャラく誘ってきた悠愛に、思わず笑っちゃったんだった。

悠愛はちっちゃくて愛嬌がたっぷりで、なんでこの学校入れたの？　ってぐらい勉強の成績は悪かったけど、それも悠愛の魅力のひとつになっちゃったりして。

テスト前『あーもー無理ー！』って言ってる悠愛に勉強教えてあげたりするのも、けっこー楽しかった。

絢はあたしがいつも明るくて朗らかで楽しそうだって言ってたけど、それはたぶん、悠愛がそばにいてくれたからだ。

悠愛が一緒になってバカやってくれてたから、あたしもずっと楽しかったんだよなあ、なんてことを思ってしまう。

「悠愛と知沙希がねえ……」

知沙希は、悠愛の次に仲良くなった。

最初はセンスよくて話が面白くて、打ち解けるのはすぐだった。

慣れてきた辺りで毒舌キャラを出してきた知沙希は、たまにイラッとすることもあったけど、でもそれだけ心を開いてくれてるんだなって思うと、嬉しかったり。

悠愛がバイトしてるときは、ふつーに知沙希とふたりで街に遊びに行ったりしてたしね。

服の趣味はぜんぜん違うのに、なーんかアドバイスが毎回的確なんだよね。

そんな大切なふたりの友達が、恋人同士、か……。

「ね、こういうの完全に興味本位で聞いちゃうんだけど……え、ふたりってどっちから告白したの？」

てっきり、積極的な知沙希のほうだと思ったんだけど。

「あたしのほうだよ！」

「えっ、悠愛から？」

「うん、まー……うん」

恥ずかしがりながらも少しだけ嬉しそうに、悠愛はぽつぽつと語り出す。ひょっとしたら今までずっと、誰かにのろけたかったのかもしれない。

「クリスマスの前にさ、あたし、中学から付き合ってたカレに浮気されちゃって」

「あーうん、あったね、そんなこと」

完全にキレてた悠愛を、あたしと知沙希が慰めた一件だ。

あたしはそのあとバイトがあったので先に抜けて、クリスマスイブに悠愛がそのまま知沙希の家に泊まったんだっけ。

「そんときに、ちーちゃんが優しくて、それで……えへへ……」

……。

「え、ちょっと待って。それだけ？」

悠愛は知沙希を見て照れ笑いを浮かべてる。いやいや。

「彼氏と別れて慰められて、そのまま知沙希のこと好きになったの？　あんた、どんだけチョロいの⁉」

「だって、ちーちゃんすっごく親身になってくれたんだよ⁉　優しかったんだよ⁉　あたしのために怒ってくれたんだよ⁉　そんなの惚(ほ)れるじゃん！」

いやいや、短絡的すぎでしょ……。

てか、ちーちゃんて。普段はちさきって呼んでるくせに。

悠愛は知沙希に擦り寄りながら、もうすっかりデレデレとはにかむ。

「でもちーちゃん、なかなかあたしと付き合ってくれなくてさー。すっごく好き好き言ってるのに、ぜんぜん信じてくれないしー」

「よかった、知沙希はまともで」

「どういう意味だ」

だって悠愛、そばにいてくれた人なら、誰でもよかったってことじゃん……。

悠愛が口を尖(とが)らせて、知沙希の腕に抱きつく。

「そんなこと言っちゃって～。結局、付き合ったくせに～」

「ま、最初は完全に遊びのつもりだったけどね」

「ええええ、ひどーい！」

知沙希は肩をすくめた。

「だって女同士で付き合うとか、ちょっと面白そうじゃん？　てか、あのときはあんまり強く断ったら、その後のニンゲンカンケーに、ヒビが入るかとか色々考えちゃったんだよね。悠愛ってよく言えば一途。悪く言えばバカだし」

「あー……」

その気持ちは正直わかる。あたしも悠愛からコクられたらめっちゃ困りそうだし。

悠愛は「それ、あるかもだけど〜……」と小さくなってる。

「ま、それでも最終的にオッケーしたのはわたしだし、それに」

知沙希はいつもよりずっと優しい顔で、悠愛の頭を撫(な)でた。

「なんだかんだ、情が移っちゃったしね。かわいいよ、ユメは」

「えへへ……」

褒められて、悠愛はすっごく嬉しそうだ。

……あれ、結局これ、のろけだな⁉

てか、あたしも絢に褒められてるとき、こういう顔してるのかな……。なんか鏡を見せられてるみたいですごいハズくなってきた。普段そういうプレイもしてるじゃんっていう心の声は封殺したい。

「あの、さ」

きっと今までのあたしなら、これ以上踏み込んだりはしなかったんだろうけど。

でも、あたしは聞いてみたかった。信頼してる友達に、まるで悩みを打ち明けるみたいに。

「……知沙希は、悠愛にコクられてオッケーしたときさ、どこまで考えたの？」

「どこまでって？」

ええと、その、なんだ。聞きづらい。

「いや、ほら、女同士で付き合うってやっぱ色々大変なわけじゃない？　ほら。ヘンな風に見られたり、これから先も女の子と付き合っちゃうのかなー……って」

「あーまあ、そりゃ多少はね」

知沙希はふつーに笑ってた。あたしにはそれが意外だった。

「でもさ、そんなの大したことじゃないじゃん。ユメと試しに付き合ってみて、それで合わなかったら別れて、友達同士に戻るのは難しいかもしんないけど。でも、やらないよりはやったほうが楽しそうじゃない？」

「楽しそうって……」

あたしは呆れてしまう。なにその今さえ楽しけりゃ、みたいな話。

「ま、マリは思い切りがいい風に見えて、慎重で臆病なところあるからね。私とは違うでしょ。そこが世渡り上手で羨ましいとこだけどね」

なんて前置きした後に。

「でも、深刻に考える必要なんてないんだよ。別れることになってもさ、好き同士で付き合ったことは本物なんだから。その時間を前向きに楽しんじゃおうってこと」

「……知沙希」

あたしの友人は、こざっぱりと笑ってた。そこには見栄(みえ)も強がりもない。

「女同士が好きかどうかも、やってみなくちゃわかんないじゃん？　もしかしたら、ユメのこと誰よりも好きになっちゃうかもしれないし。でもそれって相手が男でも女でも変わんなくない？　的な、ね」

知沙希のもしかしての言葉に、悠愛は両手を合わせて乙女っぽいポーズを取りながら、目を潤ませてる。

わかってたよ、悠愛は恋愛体質だって。

「……にしても、知沙希。なんか、すごいね」

「え、そう？」

「うん……ずっと一緒にいたのに、そーゆーとこぜんぜんわかんなかった。ちょっと、そんけーする」

「あはは、惚れないでよ？　ユメが妬(や)くから」

ニッコリと笑う知沙希は、確かに悠愛が惚れちゃってもおかしくないぐらいかっこいい女だったんだと思う。

「にしても、こんな身近に女同士で付き合ってる子がいるとか……ひょっとして、あたしの思ってる以上に多いのかな、同性ペア」

「そうかも。うち女子校だしねえ」

どうでもよさそうに言う知沙希に、あたしは思わず考え込んでしまった。

学校で人気者を気取ってたのに、知らないことばかりだ。もしかしたら、今まで出会った人たちの中にもそういう子がいて、あたしは気づかないうちに誰かを傷つけちゃったりしてたのかなあ。

女同士だからって物怖じせず、好きになった人にちゃんと告白した悠愛。そんな相手のことを勇気出して受け入れた知沙希。ふたりはあたしの尊敬する、大切な友達だ。

「悠愛、知沙希。あたしにできることがあったら、なんでも言ってね」

「どしたのマリ。急に」

「なんか、友情があふれてきちゃって……なんか……」

ぐぐぐと拳を握る。ヘンなやつ、と知沙希は笑ってた。

「ま、困ってることがあるって言ったら、あれかな。家デートばっかりになっちゃうところとか？　外で手を繫いでたりとか、知り合いに見られたら困るしねえ」

「んー、そうだよね。わざわざ言って回るようなことじゃないもんね。あ、そうだ！」

知沙希の言葉に、あたしは閃いた。

財布の中に入れてた名刺を取り出す。そこにはお店の名前と住所が書いてあった。

「あのね、新宿にいいお店があるんだ。マスターも優しいし、お客さんもみんなそっち系の人だけだから、居心地いいと思うよ」

たぶん、可憐さんが作りたかったお店は、こういう子たちがやってくるお店なんだろうと思う。自分たちの居場所を……ひとつじゃなくて、いろんな居場所を見つけられるようなお店だ。

あたしと絢も可憐さんにくっつけてもらったみたいなものなんだから、ちゃんと宣伝して恩返ししとかないとね。

悠愛も知沙希も興味深そうだった。どうしてあたしがそんな店を知ってるかについて言及してこないのは、たぶん優しさだろう。

「ただ、気をつけることがあって」

あたしはビシッと指を立てて、ＪＫ真っ只中のふたりに、笑いながら告げた。

「セーラー服で行くのは、やめたほうがいいよ」

そして、いよいよ待ちに待った温泉旅行の日がやってくる。

一泊二日。絢とふたりきりの旅行。

お母さんに許可を取るのが難しくなかったかというとウソになるけど、その辺りはどうにかこうにか、がんばって全力で根回しさせてもらった。

早々に夏休みの宿題を終わらせたり、おうちのお手伝いに励んだり。あとは、女同士の旅行だから！　と声を大にして叫んだり……。

最終的には『だってお母さん夏休みもずっと仕事だし、お父さん単身赴任中だし！　このまじゃあたし、高２の夏休みにどこにも出かけられないじゃん！』という切り札まで切っての説得だ。

これには、さすがのお母さんも思うところがあったようで『危ないところには近づいちゃだめだからね』という諦(あきら)めのお言葉とともに許可をいただけたのだった。やった。

というわけで。

「きょ、きょうは、よろしくお願いします」

「ん、よろしくね」

待ち合わせた新宿から電車に乗って向かった先は、箱根湯本駅。

お昼過ぎに到着して、あとはずっと温泉でのんびりしようねって感じで予定を組んだ。

駅から出てるシャトルバスに乗って、ホテル近くに降ろされる。

夏の日差(ひざ)しは眩(まぶ)しくて、山道を歩くとすぐに汗かいちゃいそう。

あたしのきょうの服装は真っ白なブラウスがメインの、ふんわりとしたミニのプリーツスカートで飾った夏のお嬢さんスタイル。温泉に着いたらどうせすぐ浴衣(ゆかた)に着替えちゃうだろうけど、絢と初めての旅行なのに手抜きしたくなかったのだ。女心である。

絢はノースリーブシャツに甘めのロングスカートを合わせたいつも通りかっこいいコーデで、見とれてたら「どうしたの?」と聞かれて、慌(あわ)ててごまかしてしまった。

「いや、そういえば、あたしが初めて絢を認めたのも、私服のセンスがよかったからだったりしたなあ、って」

「そうなの?」

「うん。ジャンルは違うけど、絢もファッション好きなんだろうなあって思っちゃったからね。そういうの、見ればどれだけがんばってきたかって、ひと目でわかるし」

「鞠佳の目、こわいね」

絢はそんなことちっとも思ってなさそうに微笑(ほほえ)む。

「せいぜい、愛想つかされないように、がんばるよ」

「それ、完全にあたしのセリフなんですけど」

「鞠佳はなに着てもかわいいから、だいじょうぶ。変Tでも、きぐるみでも」

「いや、どういうこと」

「それか、ぜんぶ私が用意した服を着ればいいよ。鞠佳に似合う格好、下着までコーディネートしてあげるから。一生」

「日本国憲法十三条、服装の自由の侵害ぃ！」

言ってるうちに、宿泊先に到着した。

ふたりで選んだ、最近改装したばかりの温泉旅館。フロントもピカピカで、高校生のあたしはちょっぴり場違い感を覚えちゃうけど、隣にいるのがひたすら顔のいい絢だからね。大丈夫、完全勝利。（なにがだ）

学生旅行ということで、あたしたちはフロントの人に、両親に書いてもらった同意書を提出する。必要事項を記入し終えると、中へ通された。

長い廊下を渡った先の、奥まった部屋。仲居さんが「どうぞごゆっくり」と笑顔を残して去ってゆく。

「うーん、いかにも温泉旅館！　って感じの和室！」

「そうだね」

荷物を端っこに置くと、絢はポットに水を入れて沸かし出す。慣れた仕草でお茶を淹(い)れてた。

あたしは、なんて言うんだっけ、ほらあの、ふすまの奥に向かい合った椅子(いす)とテーブルがある空間。あそこでくつろぐ。そうだ、広縁(ひろえん)だ。

「あー、きもちいいー。すっごいねー、いい部屋だねー」

「そうだね」

「絢もほら、こっちきなよ。あたしの向かい空(あ)いてるよ。一緒に写真撮ろうよ」

「はいはい」

ふたり分のお茶を持って、絢がやってくる。

満足いく角度を探して、自撮りするものの……。

「なんかこれ……」

「うん？」

「ここにふたり並んで座ってると、恋人感っていうか、夫婦感みたいなの出ちゃうな、って……」

ちょっぴり恥ずかしいな、って……。

熱くなった頬をごまかすように、ずずずと絢の淹れてくれたお茶をすする。

そういえばこれ、恋人と初めてのふたりっきりの旅行なんだよね……。すっかり友達同士みたいなテンションだったから忘れてたけど、なんか意識しちゃうな……。

すると、まるであたしの隙（すき）を見計らったみたいに、絢が身を乗り出してきた。

ドキッとしてるうちに、唇にキスされる。うるツヤな絢のリップが急にきた。

「ちょ、ちょっと絢……。まだ着いたばっかりなんだけど……」

「急に照れた鞠佳がかわいくて、つい」

「も、もう……。人のせいにしないでよ、絢がしたくなっちゃったんでしょ……。まったく、絢ってばどこでも構わず発情しちゃうんだから」

照れ隠しに口を尖らせながら文句を言うと、発情したあたしの彼女はなんと一人分のお布団を敷き始めた。

あ、あのあの……。

「ま、まだ夏の太陽が元気なんですけど……」

「ぼやぼやしている時間ないから」

「やる気満々すぎでしょ……」

服を脱いだ絢はすぐに薄手のキャミソール一枚になる。

真っ白な肌や、下着に包まれた艶めかしい臀部があたしをやらしく誘ってる。ひえ。

「今回の温泉旅行は、鞠佳にわからせてあげるためのものだから」

彫りの深い美人の絢が、和室に敷いた布団の上に座ってるって、なんか……すごい、フェチい感じの光景だ……。同性のあたしでも、思わず生唾飲み込んじゃうぐらい。

「それとも、負けちゃうのがいやで、こんなに早くからしたくない？　いいよ別に。まだまだ時間はあるから、もっとお子様らしい遊び、する？」

後ろ髪をかきあげながら、小悪魔みたいな牙を生やした絢が、あたしをめちゃくちゃに侮った笑みを浮かべる。

さすがにムカッときた。誰もビビってなんかいないし。

恥じらいを闘争心が駆逐する。あたしもブラウスを脱いで、下着になる。

冷房を弱めに設定して、絢の待つ布団へと潜り込む。

「絢こそそんなに焦って、必死って感じじゃん。てか、なにされても、徹底的に落ちるとかないし。ふふん、あたしは絢が無駄な努力をするのを見ててあげるからねー」

あたしを下に組み敷く体勢になって、絢はキスをしてきた。

両耳を押さえられたキスなので、口内で絡み合う舌の音が頭蓋骨に響く。

ぷふぁ、と口を離したときにはもうすでにあたしの目はとろんと潤んでしまってた。

う、うん……。さすが臨戦モードだけあって、いきなり激しいのをもらった。でも、別に、これぐらいよゆーだし……。たった一泊二日ぐらいなんだっての。

「ひとつだけ、訂正するね」

頬が火照って上気した絢が、ぺろりとあたしの鎖骨を舐めながら、熱い吐息をはく。

「私が鞠佳としたかったのは、勝負とかじゃなくて、鞠佳のことが好きだから」

真上から見下されながら、情熱的にささやかれる。

「好きだから愛したいし、好きだからめちゃくちゃにするの。覚えててね、鞠佳」

「……う、うん」

これ、ちょっとやばいかも。

今までは行為のきもちよさだけにやられちゃってたけど、きょうはそこに愛情ってスパイスが加わるわけでしょ……。

た、耐えられるかな。

外からは蟬の鳴き声。窓から差し込む強い日差し。日陰になったお布団の上で、絢があたしの下着を剝ぎ取った。

胸に吸いついてくる。あの綺麗な絢が、あたしの胸を夢中になって。たまらなくなって、思わず声が出た。

「ここは少し離れた部屋だから、ガマンしなくていいよ。たくさん、声を出して」

「そんな、こと……っ、いわ、ないで、よ……」

やっぱい。あたしはあっという間に絢のペースに巻き込まれて、快楽の渦の中に飲み込まれてゆく。


「鞠佳……」

「んっ……んっ、えぷ……あっ……」

あたしたちは、のんびりと……その、えっちをしています。

気づけば夕焼け空。西日が差し込んできて、絢の火照った体を紅葉色に彩ってる。

たっぷりと汗をかいたし、たぶん、あんまりな匂いもしてる。ご飯の前にお風呂に入りたいな……とあたしは波間に揺れるような頭で思う。

にしても、すごい。絢の攻撃力が普段とぜんぜん違う。

「激しすぎ……。もう、明日になって、足腰立たなくなったらどうするつもり……」

「そしたら私が抱いて帰るよ」

ほんとーにやりそうだ。あたしは枕元に置いてた水を口に含んで、はぁ、と一息ついた。

髪を耳にかけながら微笑んでる絢を、恨みがましく見つめる。

「なんなの、絢……、今までずっと手加減してたわけ……？」

「部屋だと、外に声が漏れるかもしれないから。でも旅行先なら、めいっぱいできる」

「めいっぱいって……」

絢は再びのしかかってきた。

その目が爛々と輝いてるように見える。

「さ、もっかいだよ、鞠佳。今度は意識トンじゃうぐらい、してあげるね」

「うう……。お、お手柔らかに……」

丁重にお願いしたのに、意地悪な絢はそうしてくれなかった。

ほんっと丸一日するつもりなのかも……。

部屋には内風呂があって、そのおかげで夕食に向かう前に汗を流すことはできた、んだけど……。

「んっ、んっ、んっ、んっ！」

お風呂の縁に腰を掛けて足を開かされたあたしの間に、絢が座ってる。

さっきから何度も上りつめてるのに、絢はぜんぜんやめてくれなかった。

「やだ、やだやだ、も、やだ……っ、またっ……、やだ、きもちいいの、やぁっ！」

びくびくと腰が震える。必死に首を振っているのに、絢はお構いなし。

あたしを無理矢理にたまらないところへと連れていった。

「〜〜〜〜〜〜っ！」

全身に張り詰めた緊張が、解放へと導かれてゆく。

本気の絢にとってあたしはまるで小さな女の子だ。

もっとなんとかできると思っていたのなんて、ぜんぜんうそだった。絢の指先ひとつで、あたしのカラダはダイレクトに敏感な反応を返す。

それに、そんな風に激しくしてきたあと、絢は必ず優しくキスをしてくれた。だから、痙攣（けいれん）したあとに両手を広げて絢を迎え入れるまでがワンセット。

あたしはその口づけを受け入れるどころか、期待してしまってた。

あっ、やだ……また、激し……。

あたしの弱点を的確に責めあげながら、絢はその上であたしの快楽を完璧（かんぺき）にコントロールしてる。

もう少しできもちよくなれると思ったところで不意に手を止めたり、そうかと思えばすぐにまた強く擦られて。焦らすように、境目を決して越えてはくれなくて。あたしの中に切なく熱いマグマがわだかまってゆく。

絢はこぼれ落ちる液体をすくい上げ、あたしに見せつけるようにして目の前で指を絡め合わせた。

「ほら、鞠佳、見て。すっごくきもちよくなっちゃってるね」

「うう……」

恥ずかしすぎて、もう一言だってまともに喋れない。

もうちょっと、もうちょっとですごくいいところまでいくのに……。

絢はぜんぜんそうしてくれなくて、寸止めの繰り返し。

がまんしきれなくて、あたしがおねだりに声を上げようとしたところを見計らって、行為を中断してきた。あたしの額にキスして微笑む。

「そろそろ、ごはん、食べに行こっか」

「……あ、う、うん……うん」

ドロドロに溶かされたあたしは、曖昧な意識でうなずく。

改めて体を洗って、浴衣を着て食堂へ。でもその間ずっと、あたしの内側では、じんじんと甘い痺れが残ってた。

「ね、絢」

「なあに？」

向かいながら、ちょいちょいと絢の浴衣をつまんでみるけれど。

絢は凄絶なほどにきれいで、あたしはなにも言えなくなってしまった。


食堂のテーブルには、たくさんの人たちが座ってた。チェックインの際に渡された食券を手渡し、中へ。席に通される。

「ここって、ローストビーフがおいしいらしいよ」

「へ、へえ、そうなんだ。御膳、楽しみだね」

あらかじめ夕食はセットのプランだから、絢と他愛のない話をしながら待つ。けどなんか、体の奥がうずうずしてるせいか、うまく言葉が出てこなかったりする。

「鞠佳、鞠佳？」

「えっ、ごめん、な、なに？」

「あとで大浴場いこうか、って聞いてたんだけど……ふふ」

絢は微笑みながら、誰にも見えないようにテーブルの下、そのつま先であたしのふとももをすーっと撫でてきた。

「ちょっ……」

ただそれだけで、あたしは声を漏らしちゃうところだった。口元を押さえて、涙目で絢を睨みつける。

「こ、こんなところで、ばかじゃないの……」

「さっき寸止めされてたのが、すっごく効いちゃってるね」

「………」

やっぱりわざとだったんだ……。絢め……。

深窓の令嬢みたいな顔をしておきながら、あたしだけに見えるようなピンク色の気配を漂わせて言う。

「鞠佳は、ごはん食べたらすぐ、続きしたい？」

「そ、それは、別に」

やがて、お盆に大小様々なお皿が乗った和膳が運ばれてきた。

予約の写真に載ってた通り、すっごくおいしそう。

「ほらほら、ごはんきたんだから、食べるよ、ヘンなこと言ってないで」

「はーい、いただきます」

髪をくくって、素敵なお食事に舌鼓を打つ。たくさん体力を使ったから、お腹はすごく空いてた。このあとのことを考えると、ちゃんと食べておかないと……。

「あれ、絢ってトマト嫌いなの？」

「生が、ちょっと苦手で。ソースとかスープとかは平気なんだけど」

「ふーん、そうなんだ。あたしも好きか嫌いかでいったら普通だけど」

絢がフォークに刺したトマトを、差し出してくる。

「あーん」

「ええー……？」

辺りをきょろきょろ。家族連れとかもたくさんいるのに。

「恥ずかしいの？」

「いや、友達同士のノリならいけるけど、絢はなんか……えろいから」

恥ずかしがって言うと、今度はじゃっかん強い視線で「あーん」と告げてきた。こういうときの絢はしつこい。いつまでも終わらなさそうなので、観念して口を開く。

「…………ん」

もぐもぐ、ごっくん。酸味が強い。

「いい子、鞠佳」

絢に褒められるだけで、なんだかじんわり嬉しい自分がいるのも複雑……。

いかんいかん、責められてるばっかりじゃ、絢がますます調子に乗っちゃう。

「……ま、きょうはずっと絢ががんばってくれてるしねー」

余裕げに言ってみせる。

「ああいう行為って、あれでしょ。されるより、するほうのほうが疲れちゃうもんなんでしょ？　ずっと忙しそうに指とか動かしてるし。知らないけど」

お布団でのバトルを引き合いに出して上から目線で労ってやる。すると。

「それなりにかな。だいじょうぶだよ。私は鍛えてるから」

武道で鍛えた筋力を、日々の性生活に遺憾なく発揮する女、不破絢。

「鞠佳こそ」

絢は出来の悪いメイドを雇った、優しい女主人みたいな顔で。

「あんなに必死に声だして、いっぱいあえいで、カラダびくびくさせてたんだから、すっごく疲れちゃったよね。はやくお部屋もどりたいのはわかるけど、ゆっくり食べて休んでてね」

「むぐ」

絢のカウンターの切れ味は、いつもどおり鋭かった。柔らかなローストビーフと共に敗北感を噛みしめる。

「なんか……あたしと絢って、ずっとこんな感じっぽいよね」

「鞠佳が懲りずに誘い受けで、私が責める」

「いや専門用語はちょっとわかんないですけど……。いつまでもお互い意地張って、煽り合いが止まらなくなって、そのうちおっきなケンカしちゃいそう……みたいな」

あたしの不穏な未来予想図に、絢は首を振る。

「一緒じゃないよ」

「そう?」

絢は笑みを浮かべる。

「だって、鞠佳の声、前より優しいもの」

「自分じゃ、あんまり意識してないけどなあ」

「わかるよ。鞠佳のこと、ずっと見てるから」

急に甘い声を出されるから、また腰の辺りがぴくっとしちゃう。

確かに、絢もバーでの一件以来、なんでも包み隠さずに話してくれるようになった。物言いが直接的すぎて、照れちゃうことも増えたけど……。

でもまあ、そっか。

「そりゃ……カノジョですから、一応」

好きって気持ちがあれば、たいていのことは平気なのかも。

例えば、相手が自分と同じ女の子でも……みたいな？

「鞠佳」

「う、うん？」

恥ずかしいことを言ったあたしを、絢がまっすぐに見つめてくる。ぼんやりとした瞳（ひとみ）の奥にギラギラとした光が点（とも）ってた。

「な、なに？」

「お部屋、戻ろっか。かわいいカノジョのこと、めちゃくちゃにしてやりたくなってきたから」

「まだデザートきてませんけど！」

手首を摑(つか)んできた握力が強くてビビる。なにが絢のツボに入ったのかわかんないけど、このつのカノジョを務めるにはまず体力をつけないといけなさそうだ！

宣言通りと言うべきか、約束を守ってくれたと言っちゃうべきか。

お部屋に帰ってからはもう、ずっと、ずっと絢にいじめられっぱなしだった。

お腹を見せて屈服してるペットそのもの。絢の与えてくれる喜びに反応して、声をあげ、ご主人様を楽しませるだけのケダモノだ。

あたしがこんなことしてるってこと、お父さんもお母さんも、友達も誰も知らない。絢に存分に満足させられたあたしは、すっかり絢だけのあたしだった。

もう絢がしたいことは全部されちゃったって、このときは思ったんだけど……それはまだまだあたしの経験値が足りないだけだったと後にわかることになる……。

大浴場に行くタイミングもなく、みだらな夜を過ごし、あたしはいつの間にか眠ってたみたいだった。

窓の外から、朝のぬるい光が差し込んでくる。あたしは薄っすらと目を開いた。

意識が落ちたときはなにも身につけてなかったはずだけど、今はちゃんと浴衣を着せられてる。絢がいろいろとお世話してくれたんだろうな。

「……あ」

並んで敷かれたふたつの布団。隣には絢がいて、ぼんやり開いた瞳に寝ぼけたあたしの顔が映ってる。

「あや、ずっと起きてたの？」

「ううん、なんとなく、目が覚めたの」

「そっかぁ」

もぞもぞと動いて、あたしは絢のお布団に潜り込んだ。

「いま、なんじ？」

「ええと、七時過ぎぐらい。まだまだ寝てていいよ」

「うん」

絢はあたしを胸に抱いて、頭を優しく撫でてくる。

温かい。絢の匂いする。

「ねえ、絢」

「なあに」

「あたし、絢のこと、好きだよ」

「私も、鞠佳が好き。大好き」

絢と話すようになってから、きょうが百日目。徹底的に落とされる最終日の朝、あたしは絢の腕の中で幸せに包まれていた。

「はあ」

「寒い？」

「なんか、まんまとしてやられたなあ、って……」

ぎゅっと絢の柔らかな体を抱きしめる。胸があって、腰が細くて、すべすべな肌。あたしとおんなじ、女の子の体。

「ね、絢って、昔からずっと、女の人が好きだったの？」

「んー」

「あ、嫌なら答えなくていいよ。なんか、急にごめん。あたし、自分がどうなんだろうって思ってさ。いつか夢みたいにパッと絢のこと好きじゃなくなったら、どうしようって、不安だったんだ」

だってこの恋は、今までのあたしにとって間違っているものだったから。

知沙希にも聞いて、ひとりでもいっぱい悩んで、あたしはとりあえずの答えを見つけてた。

「……だから、あたし、絢に徹底的に落とされたかったんだと思う。絢があたしを自分のものにしてくれたら、あたし、もう悩んだりしなくていいから、だから……」

「……鞠佳」

絢があたしの額にキスをする。その笑顔はどこか、寂しそうに見えた。

「今は、どう？」

そう問いかけてくる絢だって、強がってるけどきっと不安なんだ。

だから、あたしは。

「うん……なんかそれって、相手が男の子でも、他の人でもおんなじことなんだよね。ただ好きって気持ちを、一生懸命大事にしなきゃなあって」

絢に身を寄せて、その胸の中にまで届くように、ささやく。

「悩まないようにするっていうのは、たぶんこれからもムリだけど……。少なくとも今のところは、絢ほどあたしのことを考えて、好きでいてくれる子はいないだろうなってことが、この旅行でよーくわかりました」

「……そっか。うん、それならよかった。がんばったかいがあったかな」

絢のホッとした声に、あたしもくすくすと笑った。

そこまではほんとに幸せな、最高の気分の朝だったのに。

「じゃあ、女同士は？」

「………う」

途端、絢が体勢を変えて、あたしにのしかかってくる。

天使みたいな優しさと、悪魔みたいな残酷さを併せ持つカノジョの腕の位置は、まるであたしの首を絞めるみたいなポジション。

「ねえ、鞠佳。どうなの？」

これは、ずっと言わないだろうけど。

あたしは絢を下から見上げるのが好きだ。

絢の目にあたしだけが映ってるこの瞬間。逃げ場のないあたしは、ようやく素直になれるから。

「ありえなくない、です……」

「ん、お利口さん」

結局、あたしの百日間の勝負は、絢に負けちゃった。

でも仕方ないし、いいんだ。

もう絢は敵じゃないし、他人じゃなくて、絢の幸せがあたしの幸せになるんだから。

あたしは軽く身を起こし、絢の背中に手を回しながら、その耳元に甘くささやく。

「っていうかむしろ、こんなの覚えちゃったら、絢から一生離れらんない……」

絢は意地悪な笑みを浮かべて、あたしを朝から押し倒す。

ああ、大好きな絢。これからもずっと、あたしだけを見ててね。

徹底的に、あたしを恋に落としててね。

こうして百日目の敗北は、あたしたちの勝利で終わった。めでたしめでたし。

ARIOTO

onnadoushitoka ARIENAIDESYO to iiharuonnanoko wo hyakunichikan de TETTEITEKINI otosu yuri no ohanashi

〔書き下ろし短編〕

百日間で徹底的に落とされた女の子と、最初から落ちていた女の子のお話

ARIOTO

onnadoushitoka ARIENAIDESYO to iiharuonnanoko wo hyakunichikan de TETTEITEKINI otosu yuri no ohanashi

席に座る不破絢の、視線の先。

「おはよー」という挨拶とともに登校してきた、ひとりの少女がいた。

彼女は榊原鞠佳。クラスの人気者だ。

明るい髪に、元気いっぱいの笑顔。どこにいても華やかで、よく通る声はいつも目立っている。そういった外面的な部分もさることながら、彼女の誰にでも気を遣う優しい性格こそ、鞠佳がみんなに好かれる理由だ。

鞠佳が姿を見せただけで、教室の雰囲気はどこか和らぐ。登校そうそう、たくさんの友達に囲まれながらも、主役のスポットライトは常に彼女を照らし続けていた。

（……榊原さん、きょうもかわいいな）

絢は、手の届かない舞踏会を夢想するような気持ちで、ため息をつく。

榊原鞠佳は、自分とは違う世界の住人だ。

魅力的な彼女と、仲良くなりたいし、おしゃべりしたいと思ったことは何度もある。なんなら、正直ムラムラしてた日には、口説いてやろうと思ったことも。

（榊原さんのことが、気になり出してからは、だれともしてないもんね……）

だけど紆余曲折あって今は、遠くから眺めているこの距離感に満足している。

（ほんと、おなじクラスになれてよかった）

絢が小さな幸せを噛みしめていると。

「女同士とかありえないでしょ」

鞠佳の声に、思わず心臓がひやりとした。

浅ましい考えを見透かされてしまったかのようだ。

あくまでも彼女はそちら側の人間で、道が交わることはない。

（……でも、ま、そりゃそうだ）

胸に秘めた想いを、さらに奥へとしまい込む。鞠佳のような純粋でかわいらしい女の子を、無理矢理、自分の岸に引きずり込むような真似はしたくなかった。バーでバイトを始めてからは、そんなワリキリも得意になった。

（さ、べんきょうべんきょう）

気持ちを切り替え、鞠佳の声をＢＧＭに授業の準備をしていると、さらに。

「違うし！　オッサン店長がセクハラしつこいから、こっちから辞めてやったんだって！」

衝撃的な発言が聞こえてきて、取り出した筆箱をそのままへし折るかと思った。

（榊原さんがセクハラされてた……？）

いやらしい笑みを浮かべながら鞠佳の体を触っている中年を想像して、青くなる。

彼女が毎日どれほどの時間をかけて身ぎれいにして、かわいくあろうと努力しているか。ちょっとファッションやメイクをかじってる人なら、誰でも想像できる。

美少女のそんな健気ながんばりを汚されたような気がして、殺意が湧いた。

（法的な処罰をくだしてやらないと）

しかし、いくら絢がキレたところで、鞠佳が望んでいない正義を実行するのは、自己満足でしかない。あるいは、ただ自分が鞠佳にいいところを見せたいだけか。

実際、鞠佳はセクハラを笑い話に変えていることだし、気にしてもいないのだろう。榊原さんは強いな、と絢は改めて感心する。自分だったら、その場で相手の骨を何本か叩き割ってしまうかもしれない。

（……だめだめ、高校ではちゃんとおとなしくしてるって決めたんだから）

小さく首を振り、深呼吸。気持ちを落ち着かせる。

（それにしても……きょうの榊原さんは、ずいぶんと刺激的な話をしてる）

それが榊原鞠佳の魅力を損なっている、とは思わないけれど、もう少し穏やかに人生を送ってほしい。こんな高校ではなく、純粋培養お嬢様の通うような学園のほうがよかったのではないだろうか。

（……なんて、さすがに過保護か。榊原さん、軽く見えるときもあるけれど、実際は良識のあ

る子だもんね）

まったく、本当に自分は彼女に関して、盲目的になりすぎるきらいがある。こんなんじゃ、そのうち鞠佳に横合いから注意するような不審者になってしまいそうだ。いくら夜の新宿で、他の人よりも少しだけ悪い大人を見てきているとはいえ。

内心で嘆息をついた直後、爆弾が落ちてきた。

「うっそ、オッサンに媚び売るだけで一日一万円？　だったらやってもいいかも。だって、同じセクハラされるなら、一万円もらえたほうがお得でしょ」

ドッと笑い声が聞こえてきて、思わず机に頭を打ち付けてしまうところだった。

良識はどこいった⁉

絢は無言でゆらりと席を立つ。

立ちくらみを引き起こしそうな気分で足を動かして。

迷わず、鞠佳に話しかけた。

「ね、ちょっといい？」

一瞬ぎくっとした後。爽やかな笑顔とともに振り返ってくる榊原鞠佳。

（……じょうだんでも、知らない人相手にサポとか、ほんとにありえないから）

もしかしたら、自分の思う以上に榊原鞠佳の良識はスッカスカなのかもしれない。だとすれば、なにがなんでも自分が守ってあげないと……。

不破絢は、使命感に燃えていた。

とりあえず、放課後に鞠佳と待ち合わせの約束を取りつけて、絢はこれからどうしようかと授業中に考え込んでいた。

一対一で話す内容をシミュレーションしてみる。

まずは本音を打ち明けるパターン。

純粋に鞠佳のことが心配で、だからこそ危ないことはしてほしくない。なので、止めました。お金がほしいんだったら私があげるから。

『なんでそんなにしてくれるの？』って怪訝な顔をされるだろう。

そうしたら……。

（……あなたのことが、好きだから？）

心の中でささやく。

授業中の鞠佳の横顔を見つめながら、絢は眉をひそめた。だめだ、そもそも嘘くさい。それに鞠佳はきっと男女から告白され慣れているだろうから、自分程度が言い寄ったところでなんだというのか。（※実はこれが正解だったとは、夢にも思わない）

そもそも鞠佳は、同学年から施しのように金銭を渡されたところで、受け取ってくれない気がする。それで鞠佳が思いとどまってくれるのなら、お金を惜しむ気持ちは一切ないのだが、やはり渡されるほうとしても気持ち悪いだろう。

ただ貢ぐだけではなく、なにか都合のいい理由が必要だ。

もっともらしく聞こえるような。そんな理由が……。

（……そうだ）

ピンとひらめいて、絢はノートの端にシャープペンを走らせた。

（もし、榊原さんがほんとに体を売ろうっていうのなら、だったら……相手は私でも、よかったりするんじゃないかな）

そうだ。それなら安全だし、安心だ。万が一にも、自分が鞠佳を害することはありえないのだから。

我ながらいいアイデア。そう、自分が鞠佳の一日を一万円で買い取ればいいのだ。

買い取って……なにをしてもらうんだ？

掃除？　洗濯？　それとも……。

……。ペンを動かす手が止まる。

（榊原さんを、私が……買う）

半裸の鞠佳に細いリボンが巻かれている光景を思い描く。

それは、さすがにダメなのでは？　甘美すぎる。

(今、口座にたしか……。ひとりの女の子を落とすためには……ええと……)

学年一を誇る不破絢の頭脳が、高速で回転を始める。

計画の第一段階、第二段階、第三段階……。

気づけば、授業中ずっとノートに一心不乱に書き込んでいた。計画の段取りだ。榊原鞠佳を徹底的に落とす百日間の計画表。もとい、鞠佳の快楽落ちマニュアル。

(……なんか、できちゃいそうな気がする)

これさえあれば、自分ならどんな女の子だって落とせるかもしれない。

(だけど、榊原さんは……)

逡巡(しゅんじゅん)、葛藤(かっとう)。

鞠佳のことは遠くから眺めているだけで満足なのに、自分が直接手を出すというのはなにか、猛烈な背徳感がこみ上げてくる。

テレビで見て憧(あこが)れたアイドルに、握手券もなく話しかけるようなものだ。恐れ多い。

(やっぱり、注意するだけにとどまったほうが、いいんじゃないかな。それを聞き入れるかどうかは、榊原さん次第だけど)

書き込んだノートの戯言(たわごと)に絢が消しゴムをかけようとしたところで、教師が生徒に向き直った。

「では、次。ええと、きょうの出席番号は、榊原さん」

「はーい」

老教師に当てられた鞠佳が、すっくと立ち上がる。

教科書を手にして姿勢良く立つその姿は堂々として、輝いて見えた。

現代文の授業。教科書に記載された物語を、鞠佳はちょうどいい抑揚(よくよう)とリズムで朗読し終えた。

「けっこうです。お上手でしたね、榊原さん」

「いえいえー」

パタパタと手を振って座る鞠佳。友達と目が合ってそちらにピースサインを向けるのが見えて、思わず絢は小さくうなずいてしまった。

みんなの人気者で、明るくて、かわいらしい女の子。

百パーセント、光の世界に生きている鞠佳。

……かつて自分があだった、とまでは言わないけれど。

中学校では、絢もそれなりに友達がいた。なのに、今は孤立してしまっている。不運とはそういうものだ。時と場所とキャラを選ばずに襲いかかってくる。

（…………）

あの笑顔が曇るようなことは、あってほしくない。それは誓って本心だ。

改めて絢は思った。やっぱり手段を選んでなんかいられない。

他の誰かに任せるわけにはいかない。自分がやらないといけないのだ、と。

だからこれは仕方なくやることであって、決して自分の趣味と快楽と恋心のためなどでは、ない。断じて。


（ワクワクなんて、していない。ほんとに）

放課後のチャイムと同時に、絢は教室を早足で飛び出した。

鞠佳と待ち合わせた時間までにやることがある。制服のまま、通り道にある郵便局へと立ち寄った。

払戻請求書に記入を済ませると、窓口に並び、キャッシュカードで百万円を引き出そうとする。

受付のお姉さんが笑顔を引きつらせながら、高額の引き出し理由を尋ねてきたが、それに対しても回答は用意しておいた。ようするに詐欺に引っかかっているわけではないと証明できればいいのだ。

「結婚資金です」

「えっ？　ええと……」

「式場に頭金を入金するのに使います。私はまだ16才ですが、来年に式をあげる予定なんです。

よろしいですか?」

微笑む。かなり疑われつつも、動揺した彼女の手から分厚い封筒を受け取った。鞄の中に放り込み、頭を下げて郵便局を出る。

あとは待ち合わせ場所であるカフェへと向かう。鞄の中に入った百万円よりも、今から鞠佳とふたりきりでお話をするんだというその事実のほうが、よほど緊張した。

その後の流れは、だいたい想定通り……かと思ったんだけど。

予想外のことがあった。ほんの、少しだけ。

「なによ……」

「ううん」

話し合いは滞りなく終わって、帰り道。

百万円はいったん、絢が保管することになった。またあのお姉さんの所へ行って『破談になりました』と告げるのは胸が痛いので、ＡＴＭで預け直すことになるだろう。

カフェを出て、駅へと向かう。隣を歩く鞠佳は警戒心バリバリの半眼。まるで隣に誘拐犯がいるような目つき。

それもまあ、当然のことだ。もとより百日間の勝負を提案して、好かれるはずもないとわかっているのだから、気は楽である。

「明日、一緒にバッグ買いにいこっか。それが前金、みたいなもので」

絢は上機嫌だった。これで鞠佳が危ない目に遭う危険はとりあえず過ぎ去った。目的の九割は達成したようなものだ。

あとは役得として、ほどほどに鞠佳をかわいがって、解放するだけ。

そう、本当にそれだけのつもりだったのだ。

なのに。

「ありえない、ぜったいにありえない、ありえない……」

口を尖(とが)らせながら、自分に言い聞かせるように繰り返す、榊原鞠佳の横顔がすぐそこにある。

遠い世界の住人であったクラスメイトが、ぜったいに交わるはずがないと思っていた彼女が、その風に揺れるまつげの長さすらもわかるほどの距離に、立っている。

胸が高鳴った。おかしい。自分はちゃんと割り切れたはずなのに。今さらこんなチャンスを摑(つか)めたからといって。

「鞠佳」

「あによ」

声が届く。自分の言葉に反応して、鞠佳がこちらを睨(にら)んでくる。

心臓が熱い。この気持ちだけが、想定外だった。

（鞠佳を落とせば、その先もいっしょにいられるの……？）

それが肉体だけの関係だとしても、いい。

諦めたはずの彼女と、同じ時を刻めるのならば。

それはもはや、誘惑などという言葉では収まらない。

奇跡だ。今この瞬間すらも。

立ち止まる。つられて、鞠佳も足を止めた。

「なんなの、こっちをじいっと見つめて……なんか、視線がねちっこいんだけど」

「そうかな」

「言っとくけど、きょうのあたしはまだ誰のものでもないからね。あたしはあたしのもの。あんたの所有物になるのは明日の午後だから」

わざと挑発的な物言いをしてくる彼女に、そっと手を伸ばす。

大げさにビビる鞠佳に構わず、優しくその頬に触れた。

「なっ……なに⁉」

「……」

なにも言えなかった。

温かい。

触った手のひらが、とろけてしまいそうになるほど、柔らかかった。

この子が、明日から自分の所有物になってくれるつもりなのだ。

百日間、自分に好きなようにされることを、納得して、受け入れているのだ。

（そんなの）

ぜったいに無理だ。

ここで耐えられるような人間は、それこそ聖人君子かなにかだろう。

「燃えてきた」

「はあ？　それはこっちのセリフなんだけど」

だけど、鞠佳はもちろん最初から負けるつもりなど微塵（みじん）も思っていない顔で、頬に触れた絢の手をぱしっと払いのける。

「言っとくけど、手加減とかしないでよね。そういうのムカつくから」

勝ち気な瞳（ひとみ）が、絢を映し出す。

自分の未来を強く信じている彼女は美しくて、眩（まぶ）しかった。

もしかしたら本当に、自分がなにもしなくたって、鞠佳は無事だったのかもしれない。彼女は彼女自身の力で望みを叶（かな）えていたのかもしれない。そんなことを思わされてしまうほどエネルギーにあふれた、太陽のような美少女。

「わかった」

絢は静かにうなずいた。

百日後、あるいは自分がお金も鞠佳も失ってしまうとしても、これ以上ガマンなんてできやしない。だって、自分の手の届く場所に、彼女は来てしまったのだから。

「てかげんしないよ。ぜったいに」

「なにそれ、するつもりだったの？」

「ちょっとだけね。あんまり早く勝ってもつまらないし」

「うざぁ……」

足元の小石を蹴り出しそうな足取りで、鞠佳が歩き出す。

その背中と、揺れる髪を見つめる。

口を開けば憎まれ口を叩いてしまう。仕方ない。鞠佳をお金で買った自分がいい顔をしても、そんなの意味ない。

だったら、せめて彼女の優しさに甘えないように、自分はとことん鞠佳の『敵』としてふさわしい振る舞いをしよう。

「楽しみだね、鞠佳」

「なにが」

「明日からの毎日が、かな」

「いい身分じゃん……」

「そりゃ、せっかくお金出したんだからね。鞠佳も喜んでいいんだよ。バイトとしてはかなり割のいいほうだと思うよ」

「そうね！　問題は相手があんたってことだけどね！」

絢は微笑を浮かべる。寂しさの素顔を上塗りするように。

「ま、今のうちに、好きなだけ言っておくといいよ。鞠佳はすぐに、私なしじゃいられなくなっちゃうから」

決めたからと言って、嫌われるのが楽しいわけではないのだ。

ただ、どちらかを選ぶしかなかったというだけの話。

ほんとはずっと好きだったんだよ、なんて言葉は、いつまでも胸に秘めたまま。体を徹底的に落とすための、百日間の勝負が始まるのであった。


だなんて、思っていたけれど。


絢は薄く目を開く。いつの間にか、眠っていたみたいだった。

ここはガタンゴトンと揺れる電車の中で、頬には柔らかな感触があった。ゆっくりと頭を持ち上げると、隣からくすりという優しい笑い声が聞こえてきた。

「珍しい。寄りかかって寝てたんだよ、絢」

「ん……」

温泉旅行からの帰り道だった。平日とはいえ、夏休みだから指定席の車内はそれなりに混雑していて、この喧騒の中で鞠佳に寄りかかりながらうたた寝してしまっていたのだと気づく。

鞠佳はあくびを噛み殺す。

「って言っても、あたしも寝ちゃってたんだけどね。今起きたとこ」

そうだ、きょうは百日目。ちょうど、あの日から百日後の今だ。

「鞠佳、昨夜は激しかったもんね」

「なんで他人事なのよ……。いったい誰のせいだと……」

声をひそめて怒鳴りつけてくる鞠佳は、ずっと変わらない太陽のような瞳で、絢を映し出してくれている。

絢は持ち上げた頭を戻し、再び鞠佳の肩にもたれた。

「好きだよ、鞠佳」

「えっ、なに急に。甘えん坊みたいになって」

頬を撫でる代わりに、絢は鞠佳の手を握った。

彼女の体は、どこだって温かく、柔らかい。

「大好き、あいしてる」

「あ、あたしも……だけど……」

辺りを窺いながらも、ちゃんと小声で応えてくれる鞠佳に、愛しさがあふれ出る。

ああ、本当に、こんな未来が訪れるなんて夢みたいだ。

まるで、奇跡。

「ねえ、鞠佳」

絢は目を閉じて、ささやくように告げた。

「ずっと、好きだったんだよ」

ぎゅっと手を握り返される。

「……あ、あたしだって……好きだよ、絢」

夏休みが終われば、また学校の日々が始まる。こんな風にベタベタとくっついてはいられないかもしれないけど、それでも幸せだった。

体から始まったこの関係は確かに今、心まで結びついているのだから。

あとがき

ごきげんよう、みかみてれんです。

このたび『女同士とかありえないでしょと言い張る女の子を、百日間で徹底的に落とす百合のお話』こと『**ありおと**』を手に取ってくださって、ありがとうございます。

こちらのお話は、実はわたしがもともと同人誌でコツコツと描いていた小説だったりします。昨今の流行り、拾い上げというやつですね。

ところで。わたしは、決められている結末に向けて進んでいく、王道的で予定調和なお話というのが、割と好きなんです。

例えばヒーロー物のアクション映画。最後に悪は滅び、世界は平和になる。どうなるかわかっているのに、その過程にハラハラドキドキします。

あるいは、巨悪と対峙した名探偵。どんなに難解なトリックであっても解き明かし、最終的に真犯人を追い詰めて捕まえるその姿、痺れます。

他にも、将来的に結ばれることがわかっている男女のラブストーリー。トーナメントを勝ち進むスポーツモノ。魔王を倒す勇者。エトセトラエトセトラ……。

そして今作。

徹底的に落とされることがわかっているのに、素直になれず意地を張っちゃう女の子のラブコメです！（どかーん！）


主人公の榊原鞠佳は、クラスの人気者。

勉強ができて運動神経も抜群。容姿は垢抜けてかわいらしく、明るく元気で空気読みの達人。なによりも、陰キャとも陽キャとも仲良いスーパー女子高生です。

誰からも憧れられるような女の子が、口は災いの元。ひょんなことをきっかけとして、クラスメイトの不破絢に、一日一万円、百日間を百万円でご購入されてしまいます。

絢の所有物になってしまった榊原鞠佳。しかも「その百日間で鞠佳を徹底的に落として、女同士がありえないとか言えない身体にしてやるから」とまで宣告されるのです。こわい！


鞠佳は立ち向かいます。不破絢という顔面偏差値ハーバードなライバルなんかに、決して屈することはないのだと胸を張り、絢の誘惑をはねのけます！

それはあたかも、締切を設定された時点で『え、これ間に合わなくない……？　いや、がんばればいけるか？　いけます！　自分を信じて！』と奮起する作家のように。（なんの話だ）

まあ実際は特にはねのけられていない上に、身体はすっかりと落ちきってしまっているのですが、それでも鞠佳には意地があります。

なんたって鞠佳は「女同士とかありえないし。あんたになにをされても、あんたのこと好きになるわけないじゃん、ぜったいに」とまで言い切った女。

今さら「や、やっぱ負けるかもー」なんて言うのはプライドが許しません。

そう、鞠佳はこの百日間の勝負を耐えきって、無事、百万円を手にするのですから。

『このスケジュールに無理があることはわかっていたのに、最初にいけますって言った時点で、もう逃げられないじゃん……』と頭を抱える作家のように、追い込まれたとしても。


物語が進むにつれ、鞠佳の心境にも変化が訪れます。

最初はいけすかない女だと思っていた絢の、優しかったり、かっこよかったりする様々な一面を知ってゆくたびに、鞠佳にはほのかな恋心が芽生えてしまうのです。

こうなってはもう大ピンチ。果たして鞠佳は本当に、ありえないと言い続けることができるのか。そして『最初の想定だったら間に合っていたけど、この物語をもっと面白くするアイデアが思いついた以上、前半部分はぜんぶ書き直さないといけないな……』とか思っちゃった作家は、果たして締切に間に合うのか。間に合わなかったら発売日にこの作品が出ないぞ！

と……そんな鞠佳とわたしのお話を、どうぞ楽しんでいただければ、幸いです。

一段落したところで、いつもの謝辞に移ります。ふー間に合った！　よかった！

今回、快くイラストを引き受けてくださった雪子さん、誠にありがとうございます。雪子さんが同人誌の表紙を書いてくださったおかげで、『ありおと』は商業版まで出すことができました。わたしの恩人です。代表作『ふたりべや』は幻冬舎さんから第七巻まで発売中！

また、担当のねこぴょんさん、そして営業のタヌ吉さん。本作を好きになってくださって、本当にありがとうございます。これからもがんばりに報いられるよう、尽力いたします。

さらにこの本を作るために関わってくださった多くの方々、さらに普段からわたしを支えてくださる各作家方、心からありがとうございます。

そしてなによりも、この本をお手にとってくださった方。この本を売るためにがんばってくださった書店員の方々に、極大の感謝を。

願わくば、ガールズラブコメがライトノベルの一ジャンルになりますよう、祈りを込めて。

それでは、みかみてれんでした！

そうだ！　他にも今月わたしの書いたガールズラブコメ（※以下ガルコメ）が発売します！　21日頃にダッシュエックス文庫から出る『わたしが恋人になれるわけないじゃん、ムリムリ！（※）ムリじゃなかった!?』こと『わたなれ』も、女の子同士のめちゃくちゃかわいいお話なので、どうぞチェックしてみてくださいね！　改めて、みかみてれんでしたー！

ファンレター、作品の
ご感想をお待ちしています

〈あて先〉

〒105-0001
東京都港区虎ノ門2-2-1
ＳＢクリエイティブ（株）
GA文庫編集部 気付

「みかみてれん先生」係
「雪子先生」係

本書に関するご意見・ご感想は
右の QR コードよりお寄せください。

※アクセスの際や登録時に発生する通信費等はご負担ください。

https://ga.sbcr.jp/

女同士とかありえないでしょと言い張る女の子を、百日間で徹底的に落とす百合のお話

発　行　　2020年2月29日　初版第一刷発行
　　　　　2024年1月26日　　第四刷発行

著　者　　みかみてれん

発行者　　小川　淳

発行所　　SBクリエイティブ株式会社
〒105-0001
東京都港区虎ノ門2-2-1

装　丁　　FILTH

印刷・製本　中央精版印刷株式会社

ISBN978-4-8156-0447-9

Printed in Japan　　GA文庫

痴漢されそうになっているＳ級美少女を助けたら隣の席の幼馴染だった

GA文庫

著：ケンノジ　画：フライ

「諒くん、正義の味方みたい」

　高校二年生の高森諒は通学途中、満員電車で困っている幼馴染の伏見姫奈を助けることに。そんな彼女は学校で誰もが認めるＳ級美少女。まるで正反対の存在である姫奈とは、中学校から高校まで会話がなかった諒だったが、この件をきっかけになぜだか彼女がアピールしてくるように!?

「……くっついても、いい？」

　積極的にアプローチをかける姫奈、それに気づかない諒。「小説家になろう」の人気作――歯がゆくてもどかしい、ため息が漏れるほど甘い、幼馴染とのすれ違いラブコメディ。※本作は幼馴染との恋模様をストレス展開ゼロでお届けする物語です。

試読版は
こちら!